ぼくと、ぼくらの夏

樋口有介

夏休みの暑い[illegible]川春一は、同級生・岩沢訓子が[illegible]から多摩川にとびおり自殺をしたことを、刑事である父親から知らされる。あんなおとなしそうな子が、自ら命を絶つなんて……。その日の午後、彼女の死を、新宿で偶然に出会った酒井麻子に伝えると、なぜか一緒に事件を探る羽目に。麻子は訓子とは中学まで親友だったが、高校に入ってから少し距離ができて悩んでいたという。訓子の周囲を二人で調べ始めると、彼女の知られていない交友関係が浮かびあがり、春一はある矛盾点に気づく。決して古びない瑞々しい文体と、気だるい雰囲気で評判となった、著者のデビュー作。

ぼくと、ぼくらの夏

樋　口　有　介

創元推理文庫

THE SUMMER WE MET

by

Yusuke Higuchi

1988, 2007

ぼくと、ぼくらの夏

1

あいつらは暑さに腹を立てている。わが身の悲運にヒステリーを起こしている。たかが雌《めす》の気をひくぐらいのことのために、恥ずかしいほどむきになっている。それも夏にだ。蝉だって涼しい季節に、露草の下かなにかで上品に鳴いてみたいだろう。うちの庭を棲家《すみか》に決めた蝉は、蝉のくせに夏が嫌いなのだ。

蝉の声。日射しの強さ。それに自分自身の汗。半分眠っている頭でも、それぐらいは意識できる。夏休みだからって特別にいいこともないが、ただ気が済むまで眠っていたりすると、もしかしたら生きていることは結構いいことなのかも知れないとか、ふと思ったりする。

九時ごろ、どうにも暑くて、小便でもしようとぼくは階段をおりていった。

下ではダイニングに親父がいた。親父はぐったりと椅子にもたれて、テーブルの上に両脚《あし》を投げ出していた。ぼくは「やあ」とだけ挨拶《あいさつ》をして、そのまま便所へ行き、小便をしてからダイニングに戻った。

親父はさっきとまったく同じ恰好《かっこう》で、両脚を投げ出したまま、口を半分ぐらい開けて目を閉じていた。息子のぼくから見てもそれほど不細工な顔ではないが、折目の消えたねずみ色の替ズボンといい、ベージュ色だかラクダ色だかの開襟シャツといい、ぼさぼさな髪と不精髭《ぶしょうひげ》といい、まるで自分の意志で冴《さ》えない中年男になりきろう、と努力でもしている感じだった。お袋が愛想をつかしたのも、お袋だけの責任とは言いきれない。

「いつ帰ってきたのさ」と、冷蔵庫から牛乳を出して、親父の前の椅子に座りながら、ぼくが訊いた。

「ちょっと前か、そのもうちょっと前だ」

腹話術師だって、もう少しちゃんと口は動かす。

「風呂、沸いてるか」

「昨夜は沸いていた」

「ひと寝入りする前に熱い風呂へ入ったら、気持ちいいだろうな」

「シャワーでいいさ」

「シャワーなんてのは汗を流すだけだ。疲れきったからだと心を休めるには、熱い湯に首までつかって屁《へ》でもして、『アンコ椿』を歌うのが一番なんだ」

仕方なくぼくは立っていって風呂のガスに火をつけ、ついでに親父の部屋のクーラーを入れ、居間の雨戸とガラス戸を開け放ってからまた親父のところへ戻っていった。

親父はビールをコップに注《つ》いで、テーブルの上に新聞を広げていた。

「シュン、岩沢訓子《いわさわのりこ》って女の子、知ってるか」と、親父が訊いた。

「新聞に出てるの」

「まさか。おまえと同じ高校の、二年生だそうだ」

「うちのクラスだよ」

「偶然だな」

「岩沢がどうしたのさ」

「死んだ」

「へーえ」

「驚かないのか」

「驚いてるよ……父さん、腹は?」

「夜中にラーメンを食った」

「なにか食べる?」

「風呂のあとでいい」

「なんで死んだの」

「誰が」

「岩沢さ」

「自殺だそうだ。まだよく分らんが。今朝早く多摩川へ釣りに来たおっつぁんが見つけた。稲《いな》城《ぎ》大橋の上からとびおりたらしい。橋の上に靴と遺書があったというから、まず間違いないだろう」

「なんで自殺なんか」

「さあな」

「父さんの係？」

「いいや。おまえ、よく知ってる子か」

「そうでもない。目立つ子じゃなかったから」

ぼくはパーコレータに水を入れ、ガス台にかけてから、二人分を計ってコーヒーの豆をひきはじめた。二階にいた蟬が一階にまでおりて来ていて、今日もくそ暑い一日になる。

親父を風呂に入れ、その間にぼくはありあわせの野菜でサラダをつくって、トーストを焼いて一人で食べはじめた。岩沢訓子のことを考えようとしたが、たいした印象をもっていないことに、すぐ気がついた。顔立ちはよかったがとにかく目立たない子で、勉強でも運動でも、クラスではすべてが「その他」だった。あの岩沢訓子が、自殺か。今年の夏があまり暑いので、生きるのが面倒くさくなったのだろう。もし自殺なんかしなければ、高校を卒業したあとで思い出すことも、ぜったいないような感じの女の子だったのに。

親父が風呂から出てきて、腰にバスタオルを巻いたまま元の椅子に座り、ぼくがつくったサラダを肴《さかな》に二本目のビールを飲みはじめた。お袋は親父のこういうフランクな癖を、いやがったものだ。

「着たものは洗濯機に入れておいた？」と、ぼくが訊いた。

「ああ」と、新聞を見ながら、親父が答えた。

「洗ったやつがタンスの二番目の引出しに入ってる」

「ああ」

「パジャマも着がえるんだよ」

「ああ」

「ズボンのポケットのもの、みんな出したろうね」

「ああ」

「茶色のズボンがクリーニングしてある」

「ああ」

「父さん」

「なんだ」

「まだ見つからないの」

「なにが」

「彼女」

「泥棒を捕えるようなわけにはいかんさ。俺は理想が高いんだ」

「それで母さんと一緒になったの」

「どうだかな」

「人間、つまらない理想はもっちゃいけないという、教訓だね」

「トースト、俺にも焼いてくれ」

親父はビールを飲みほしてトーストを二枚と野菜サラダを食べ、いかにも眠そうな顔で自分の部屋へ入っていった。自分に都合の悪い話は聞かなくて済む権利があるのだと、親父はかたくなに信じていた。

ぼくは親父がいなくなったあと、ダイニングでゆっくりコーヒーを飲み、風呂場へ行って洗濯機を回してから、また戻ってきて使った食器のあと片づけを始めた。女房が見つからないのならせめてお手伝いさんぐらい見つけてくれればいいものを、親父の意見は、こうだ。

「私的な生活のために他人を金で使うのは、植民地主義的な発想である」

ごもっともな意見ではあるが、意見だけでは食器も片づかないし、洗濯物だって乾かない。ぼくがいなくなったら親父は、どうやって暮していくつもりなのだろう。

洗濯をしているときに電話が鳴って、出てみるとお袋だった。親父にしてみればお袋は別れた女房ということになる。だがぼくの立場からして別れた母親とか前のお袋とか、なにかそういった言い方でもあるのだろうか。

「今なにしてるの」と、お袋が訊いた。

「洗濯」と、ぼくが答えた。

「あの人は？」

「寝てる」

「相変わらずなの」

「相変わらずさ」

「また朝帰り」

「そうらしいね」

「今日、なにか用がある?」

「べつに」

「昼食《おひる》でもどう」

「いいよ」

「新宿《しんじゆく》まで出てこられるかしら」

「うん」

「それじゃ高野《たかの》のパーラーで」

「うん」

「一時」

「うん」

「じゃあね」

「うん」

ぼくは電話を切り、洗濯を終らせて、洗い終った洗濯物を庭の物干《ものほ》しまで運んでいった。まだ十一時だというのに、気温は間違いなく三十度をこえている。もう一週間以上も雨がふっていないから、地球が滅亡する日まで、たぶん雨なんかふることはないのだろう。

起きたら洗濯物をとり込むようにと親父へ書置きをして、ぼくは十二時前に家を出た。新宿へ着いたのは十二時半だった。紀伊國屋《きのくにや》でフレドリック・ブラウンの探偵小説を二冊買い、一時ちょうどに高野の二階へ入った。

お袋のほうがぼくよりも先に着いていた。もうコーヒーも飲みおわっていたので、ぼくは席につかず、そのまま同じビルの四階だか五階だかにあるレストランへあがっていった。外は暑いし、新宿あたりのレストランはどこでも同じだから、というのがお袋がその店を選んだ理由だった。

「なにか変わったことでもあった？」と、料理をオーダーしてから、煙草《たばこ》に火をつけて、お袋が訊いた。

「ないよ」と、ぼくが答えた。

「あの人も相変わらず？」

「そうみたいだね。母さんのほうは？」

「ずっと忙しかったわ」

「そうだろうね」

この前お袋と会ったのは正月の十日ごろで、二人で鎌倉《かまくら》へ初詣《はつもうで》に行って以来だった。半年以上息子に会うのを忘れるぐらいだから、それはもちろん、相当に忙しかったのだろう。

「やっと仕事も軌道にのってきたの」

「よかった」

「今度新宿に支店を出すのよ」

「大変だな」

「最終的には工場もおさえて、メーカーにまでもっていくつもり」

「母さんならできるさ」

「自信はあるわ」

「そうだろうね」

だいたいお袋が家を出ていったのは、四十になる前に人生をやりなおしたいというのが理由で、その意味ではお袋のやりなおした人生も、かなり成功しているようだった。三年前に親父と別れてすぐ、お袋は青山《あおやま》にブティックを出したのだ。ぼくは一年になん度かお袋と会っていたが、お袋はそのたびにきれいになっていった。今あらためて眺めてみても、この人が本当に自分の母親なのか、と思うほどだ。女がきれいになっていく人生がその女にとって、成功でないはずはない。逆に言えば親父と暮した十五年間が失敗だったわけで、その失敗の結果世の中に送り出されたぼくにしてみると、複雑な気分にもなる。それは親父にしてみても同じことだろうし、親父がいつまでも再婚しないのは、もしかしたらまだお袋に未練があるのかも知れなかった。

「今日は少しシュンの将来について話そうと思ったのよ」と、コンソメの皿にスプーンを入れながら、片方の眉《まゆ》をあげて、お袋が言った。

「ふーん」と一応返事はしたものの、内心ぼくは笑っていた。『子供の将来』とかいう言葉がこのお袋ほど似合わない女を、他には思いつかない。

もちろんそれは、親父にだってあてはまる、春に生まれたからというだけで子供に春一という名前をつけてしまったような両親が、子供の将来なんか考えても、どうせろくな結論は出ないだろう。そういう自覚のまったくないところが、お袋や親父の愛嬌《あいきょう》なのだ。

「あなただってそろそろ、将来のことは考えるでしょう」

「特別には、まだ考えていない」

「あの人みたいになったら困るじゃないの」

「父さんは困ってないらしい」

「あの人には向上心がないのよ。いくらお金に困らないからって、あんなふうに無気力な生き方をしていいとは思わないわ。シュンはあの人に似たところがあるから、それでわたしは心配なの」

お袋の言っていることは、だいたいは正しい。そんなことはぼくにだって分っている。親父にはたしかに、お袋の言う意味での向上心はない。ただそれはもしかしたら、生きていくことの価値観がちがうだけ、ということなのかも知れない。最近なんとなくぼくは、そう思いはじめている。

親父には先祖代々の財産がある。駅前ビルの賃貸料だって、毎月の給料の何倍かにはなる。学校も二流だか三流だかの私立大学を、ほとんど通わないで卒業した。そのあとはまたインドだかインドネシアだかを、一人で何年かほっつき歩いてきたらしい。日本へ帰って来てもぶらぶらしていたが、そのころはまだ生きていた親父の親父が世間体を憚《はばか》って、無理やり警察学校に押しこんだ。そのあと調布《ちょうふ》警察署に赴任させることに関しては、たいした手間もかからなかった。息のかかった市会議員に電話を一本入れただけだったという。祖父《じい》さんも息子を犯罪者にするより、犯罪者を取り締まる側に置いたほうが世間体がいい、と判断したのだった。

それ以来親父は二十年間、なにが面白いのかは知らないが、文句も言わず黙々と警察署に通いつづけている。昇進試験を受けたという話も聞かないから、いまだに平刑事のままなのだろう。そういう親父とお袋の人生観がちがったところで、驚くにはあたらない。むしろその二人が十五年も一緒に暮した事実のほうが驚きだ。たぶん親父とお袋は、ぼくに人生の不可解さを教えるために、一緒になったり別れたりしてみせたのだろう。

「自分がなにになりたいとか、そういう話、一度も聞いたことなかったわね」と、料理を口に運ぶ合間をみて、またお袋が言った。

「まだ決めてないもの」

「理科系がいいとか文科系がいいとか、それぐらいの区別はあるんでしょう」

「理科系とか文科系とか、そういうことじゃなくて、人間ていうのはもっと、総合的な存在のような気がするな」

「あの人みたいなことを言わないでよ。本当に心配になるじゃないの」

「そのうち自然にどうにかなるさ。母さんが心配しなくてもいいよ」

「あのね、思ったんだけど、シュン、わたしと一緒に暮す気はなあい」

なるほど、それが今日の用件か。忘れていたが、お袋はただ飯を食うためだけに人を呼び出すような性格では、なかったのだ。

「急に言われてもな」

「それはそうだけど、あの人と暮すことがシュンのためにいいことだとは、思えないのよ」

「三年前はそう思わなかった」

「それは、話がちがうわ」

「文句を言ってるわけじゃないんだ。ただ急に言われても、ぼくだって困る」

「もちろん今すぐ決めろなんて、言ってないわよ。ただね、そういうことも考えていいと思うの。わたしにしてみればシュンはたった一人の子供だし、あなたにしたってわたしはただ一人の母親でしょう。一緒に暮しても不思議はないわ。むしろそのほうが自然じゃないの」

本当なら勝手な母親だ、と腹を立ててもいいところだが、この人に関しては、どうもそういう気になれない。もちろん三年前は自分のことだけで精一杯で、ぼくのことなどかまっている暇はなかったのだろうし、それが三年たって仕事も軌道にのってきて、ふと息子のことが心配になった。それはそれでいいし、お袋にしてみても悪気があるわけではないのだ。ちょっとでも悪気があれば、問題はもう少し単純になる。

「あとでゆっくり考えてみるよ」と、最後のコーヒーを飲みおわって、ぼくが言った。

「そうね」と、お袋も食事をおわらせて、新しい煙草に火をつけた。「近いうちにまた電話するわ」

「うん」

「たまにはうちの店にも遊びに来たら?」

「そのうちにね」

「困ったことがあったら母さんに相談するのよ。あの人はあてにならないんだから」

「そうするよ、困ったことがあれば」

「お小遣いはある?」

「うん」

「いくらかあげようか」

「いいよ」

「さっきのこと、本当に考えるのよ」

「うん」

「これからどうするの」

「映画でも観て帰る」

「わたしは外に出ないで、このビルの下から地下鉄に乗るわ」

「うん」

ぼくらは一緒に立ちあがり、お袋が勘定を払って、同じエレベータで下におりた。

「じゃあ」と、ぼくが言った。

「またね」と、お袋が手をふった。

ぼくだけが一階でおり、お袋はエレベータに残った。今のレストランは冷房がききすぎていたな、とぼくは思った。

ぼくは『コットンクラブ』でも観ようと、ぶらっと歌舞伎町《かぶきちょう》のほうへ歩きだした。同じ東京でも新宿という街は、鼻をつまみたくなるほど、空気がねっとりしている。人の汗が水蒸気になって湿度が高くなるのか。それともぼくが場慣れしていなくて、緊張して汗をふだんより多くかくせいか。

靖国《やすくに》通りを歌舞伎町側に渡り、コマ劇場のほうへ歩きだしたとき、前から酒井麻子《さかいあさこ》が歩いてきた。酒井麻子は大学生みたいな、少し整いすぎた顔立ちの男と一緒だった。

向こうもぼくに気がついて、お互いになんとなく、足をとめた。この春から同じクラスになったとはいえ、ぼくと酒井麻子はまだ一度も口をきいていなかった。ただこんな場所でばったり会って、知らん顔をして通りすぎるのもへんだろう。酒井麻子もそう思ったらしく、ぼくらは二歩ずつぐらい近づき合って、それぞれに「やあ」と口の中で挨拶をした。

「いい天気だな」

「ばかみたいに暑いけど」

「洗濯にはいいさ」

「それは、そうね」

「今朝、洗濯して来たんだ」

「へーえ」

ぼくもけっこう本気で考えたのだが、天気以外の話題は思いつかなかった。

「ええと、じゃあな」

「戸川くん」

「うん？」

「元気だった？」

「まあまあ」

「一人なの」

「うん」

「どこへ行くの」

大きなお世話だ。とは思うものの、やっぱり女の子というのは大したもんで、こんなときにちゃんと、天気以外の話題を思いつく。

「映画。君も、元気みたいだな」

「まあまあよ」

まあまあか。そいつはよかった。

酒井麻子にうなずいて歩きかけ、ふとぼくは今朝のことを思い出した。

「君、岩沢のこと、知ってる？」

「訓子のなあに」

「死んだこと」

正直に言って、ぼくは酒井麻子がこれほど驚くとは、思ってもいなかった。もっともクラスメイトが死んだと聞いたら驚くのが礼儀かも知れないし、酒井麻子はぼくが思っていたよりも礼儀正しい女の子だった、というだけのことか。

「それ、いつの話?」

「昨夜遅くか、今朝早く」

「誰に聞いたの」

「うちの親父」

「ああ……」

ぼくが酒井麻子の親父さんの商売を知っているのと同じように、たぶん彼女もうちの親父の商売を知っている。酒井麻子の親父さんは府中《ふちゆう》にある、酒井組というヤクザの親分だった。

「事故とか、病気とか?」と、鼻の頭の汗がはっきり見えるぐらいまで顔を近づけてきて、酒井麻子が訊いた。

「自殺」

「自殺?」

「そう」

「嘘!」

「夏休みに嘘は言わない」

酒井麻子がぼくの台詞《せりふ》を無視して、目を見開いたまま、口の中で意味の分らないことを呟《つぶや》いた。それからくるっと背中を向け、手持ちぶさたな顔をしている男のほうへ歩いていった。酒井麻子はそこで男になにか言い、怒ったような顔で、またすぐにぼくの前に戻ってきた。男がいや味な目で一度ぼくの顔を睨《にら》み、あとはわざと知らん顔をするような感じで、来た道を一人でコマ劇場のほうへひき返していった。

「あの人、いいの」と、ぼくが訊いた。

「さっき噴水の前でナンパされただけ」

なるほど、酒井麻子にしては趣味が悪いと思っていたが、そういうことか。

「訓子の話、詳しく聞かせてよ」

「詳しくなんか知らない」

「お父さんから聞いたでしょう」

「多摩川へ釣りに来た人が見付けたらしい。稲城大橋の上に靴が脱いであって、遺書があったって、それだけ。遺書の内容は知らない」

酒井麻子は上目づかいにぼくの顔をのぞき、頬《ほほ》をふくらませて、ふーっと大きく息を吐いた。きれいな子なのだ。前からそうは思っていたが、近くで見ると目が少し斜視で、それがととのった顔にいくらか愛嬌を与えている。こんな子と付きあうのはたぶん、ひどく大変なんだろう。

「なんとなく、がっかりした感じ」と、そっ気なく笑って、酒井麻子が言った。

「岩沢と親しかったのか」

「まあまあね」

「そうは見えなかった」

「いろいろあるし」

「いろいろ、な」

眉を片方だけつり上げて、酒井麻子がぼくのほうに鼻を向けた。

「映画、何時から？」

「何時でもいい」

「なに観るの」

「『コットンクラブ』」

「コーラでも飲まない？」

よくは分らないが、ナンパの相手を追い返したわけだから、ぼくにもコーラぐらいおごる責任はある。少なくとも酒井麻子は、そう思ったらしかった。

ぼくらは靖国通りを駅側に渡りなおし、アルタの中にある喫茶店に入ってコーラを注文した。口で言う以上に岩沢訓子の自殺が、酒井麻子の気持ちを暗くしている感じだった。

「本当はね、まだ信じられないの」と、ストローを指の先でいじくりながら、酒井麻子が言った。「戸川くんの言ったことは冗談だ、と思いこもうとしてるの。そんなこと、あるはずないのにね」

岩沢訓子のことなんか言わなければよかったかなと、ぼくはかなり真面目《まじめ》に反省した。やはり天気の話だけでやめておけばよかったのだ。親しかろうと親しくなかろうと、クラスの友達が自殺したということは大変なでき事なのだろう。ぼくの無神経さがそれを感じないだけのことなのだ。だからって今さら深刻そうな顔をしてみても、仕方はない。

「ひとつ教えてもらえるかな」

「なあに」

「君みたいな子にナンパかけるの、どうすればいいんだ」

生意気そうな鼻で、酒井麻子がふんと笑った。

「さっきは暇をもてあましていたの」

「友達はたくさんいるだろう」

「学校の中だけよ。外では付きあわないの」

「いい趣味だとは思うけど」

「必要以上に付きあうと、相手が迷惑するでしょう？　親父が親父だから」

「君と親父さんは関係ないさ」

今度は声に出して、くすっと酒井麻子が笑った。その目は完全にぼくを馬鹿にしていた。ぼくの台詞はこの一年間でぼくが表明した言葉の中で、一番人道的かつ稚拙《ちせつ》なものだった。

「いいのよ」と、下を向いて、またストローをいじくりながら、酒井麻子が言った。「他に言い方なんて、ないものね」

本当ならここは一発、素直にあやまるべきところなのだ。ただあやまってしまうと、ぼくが酒井麻子の親父さんの商売を気にしていることを、自分で認めることになる。気にしてはいないと言葉に出してみたところで、それは同じことだ。

昼だけを微笑《ほほえ》ませて、酒井麻子が言った。

「戸川くん、気がついてた？　四月に同じクラスになってから、わたしたちが口をきくの、今日が初めてよ」

「おれ、気が弱くてさ」

「分ってるの。戸川くんのお父さん、刑事だしね」

ちらっとぼくの顔を見ただけで、酒井麻子がぼんやりとその視線を窓の外へもっていった。

「みんな本当は、ちゃんと気を使ってるのよ。それでいて気楽そうにやってるわけ。訓子は……あの子ね、家も近かったし、小学校からずっと一緒だったの。うちへ遊びに来たのはあの子だけ。気にしないって言うの。わたしが考えすぎだって。でも現実ってそうはいかないもの。あの子の家は普通の会社員でしょう？　それでわたしのほうから付きあわないようにしてたの。でも今まで友達って言えたの、訓子だけだった」

涙が出てくるかと思ったが、酒井麻子は目のまわりを少し赤くしただけで、泣きだしはしなかった。

「だけど、まだ信じられない。訓子っておとなしそうに見えたけど、芯《しん》は気が強いの。自殺って言われても、ぴんとこないのよね。もし本当に自殺だとしたら、よっぽどのことがあったんだわ」

「思いあたることでも？」

「ううん」

顔を戻してきて、酒井麻子がグラスの中の氷を一つ、しゅっと口にすべりこませた。

「ここ一年ぐらい、ほとんど付きあっていなかったもの」

「自殺にしても動機はあるだろうしな」

「戸川くん、今日はどうしても映画を観る？」

「べつに」

「訓子の家に行ってみない？　もっとちゃんと知りたいの。遺書があるならその遺書、わたし、見てみたいわ」


ぼくらは喫茶店を出て、ガード下を西口にまわり、京王線の特急で府中へ戻った。府中駅に着いたのは四時半だった。そのときになってもまだ、なぜ自分が岩沢訓子の家に行かなくてはならないのか、ぼくには分っていなかった。今日があまり暑くて、お袋に面倒なことを言われて、それでもう少しだけ麻子さんの顔を見ていたくなったのだろう。

岩沢訓子の家は大國魂《おおくにたま》神社の横の道を競馬場のほうへ行った、建て売りらしい住宅街の中にあった。三十坪ぐらいの敷地がブロック塀で区切ってあり、その敷地いっぱいに白いモルタルの二階家が建てられていた。ぼくには〝普通の家〟という概念がはっきりしなかったが、それは岩沢訓子の印象がそうであったように、見るからに普通の家、という印象だった。

玄関に出てきたのは岩沢訓子に顔の似た、二十歳ぐらいの女の人だった。ぼくの祖父さんが死んだときには、死んだとたんに親戚《しんせき》やら葬儀屋やら近所の人やらが、まるで待ってましたとばかりに押しかけて来た。それで岩沢訓子の家もそんなふうだろうと思っていたのだが、様子はちがっていた。家の中にも外にも、人の気配はおろか、話し声すら聞こえていなかった。

ぼくは初め、親父の勘ちがいか、それとも同姓同名の他校の生徒の身に起こったことなのか、と思ったが、そうではなかった。出てきた女の人は麻子さんと顔見知りらしく、黙ってうなずいて、そのまま居間らしい六畳の和室に案内してくれた。

居間にいたのは岩沢訓子の母親らしい女の人と、ぼくらのクラス担任の村岡《むらおか》先生の、二人だけだった。今日のこの状況なら村岡先生が岩沢訓子の家にいることに、不思議はない。ただそのことを予定していなかっただけ、なんとなくぼくは顔が赤くなる思いだった。

だいたいテレビの青春ドラマとか学園マンガとかには、まるで嘘みたいに美人の先生が登場してしまう。ぼくは小学校と中学校の経験から、あの類《たぐい》のドラマは生徒にありもしない希望を持たせて無理やり学校へ通わせようという、教育委員会の陰謀なのだと思っていた。ところが今の高校に入ってすぐ、そのまるで嘘みたいな美人の先生も、まるで嘘みたいに存在することがあるのだと、認識を新たにした。村岡先生はぼくの狭い料簡《りょうけん》を改革すべく、深大寺《じんだいじ》学園高校で英語の教師に身をやつしていたのだ。

「あなたたち、誰に聞いたの」と、ぼくと酒井麻子の組み合わせに、ちょっと意外そうな顔をして、村岡先生が訊いた。

「親父に」と、ぼくが答えた。

村岡先生が黙ってうなずき、ぼくと麻子さんのために、庭に面して開け放った窓側に場所をあけてくれた。

岩沢訓子の姉さんらしい人が座布団をくれて、ぼくらはそこに並んで腰をおろした。

「訓子、どこ?」と、怒ったような声で、麻子さんが岩沢訓子の母親に訊いた。

「それが、まだ……」

「警察ですって」と、村岡先生が返事をひきついだ。「今夜中には戻されるらしいの。わたしもたった今うかがって、そのお話を聞いていたところ」

「自殺って、本当なんですか」

なにか答えようとして、岩沢訓子の母親が口を開きかけたが、言葉は声にならず、ハンカチを口にあてたまま自分の膝《ひざ》に泣きくずれた。

かわりに、村岡先生が答えた。

「遺書があったらしいの」

「見たんですか」

「いいえ。それもまだ警察ですって」

「それじゃ訓子は、なんで死んだの」

「お母様にも見当がつかないらしいわ。わたしも思いあたることはないし……あなたたちこそ、なにか知っていない？」

麻子さんが首を横にふり、村岡先生に見つめられて、ぼくも首を横にふった。

気をとりなおしたように、岩沢訓子の母親がぼくらのほうに顔をあげ、それから背筋をのばして座布団に座りなおした。その仕草がふと、ぼくに岩沢訓子の暗い目を思い起こさせた。そういえば彼女、こんな目をした子だったっけ。

「親なんて、まったくなんのために、生きているんだか。あの子が死ぬほど苦しんでいたというのに、わたし、気づきもしませんでした。しっかりした娘でしたから、まさかこんなことになるとは……」

一つため息をつき、目を閉じて、岩沢訓子の母親がつづけた。

「悩みがあったのなら、なぜあの子、うちあけてくれなかったんでしょう。わたしか、先生か、誰かにうちあけていてくれたらと思うと、残念で仕方ありません。昨日だって出かけるまで、なにも変わった様子はなかったんです。B・Z・Eとかなんとかいう歌手のコンサートへ行くと言って、家を出たんです。十時までには戻るはずでした。友達と一緒に行く、とも言っておりました」

「そのお友達の名前、お聞きになりました？」と、村岡先生が訊いた。

「いいえ。あの子には今まで一度も間違いはありませんでしたし、外泊したり夜遅くなったりということもありませんでした。ですから細かいことは訊かないようにしていたんです。なにしろ、その、母親の口から申すのもなんですが、しっかりした娘だったんです。それが昨日は十時をすぎても帰らなくて、十二時をすぎても……それで主人と二人で、駅前の交番へお願いにあがりました。交番では予定の時間をまだ二時間しかすぎていないと言って、とりあってくれませんでした。でもわたしには、なにか予感のようなものがありました。わたしも主人も、昨夜は一晩じゅう起きておりました。そこへ今朝の五時ごろ、警察から電話があって、その、多摩川で、訓子が、学生証が、その、訓子の……」

ハンカチを広げて、その中に岩沢訓子の母親が、ぐずっと顔をうずめこんだ。村岡先生も麻子さんも岩沢訓子の姉さんも、それぞれが色のちがうハンカチをとり出し、一斉に声を殺して泣きはじめた。途方に暮れていたのはぼく一人だけ。意地を張らないで泣いてしまえばよさそうなものだが、理不尽なもらい泣きは遠慮したかった。大國魂神社の森が近いせいか、ここでも蜩《ひぐらし》の声が聞こえていた。

四人はそうやって、五分ほど泣きつづけた。あとはしばらくの間、咳《せき》ばらいの音や鼻水をすする音がつづいていた。

「訓子さんのお役に立てなくて、教師として責任を感じております」と、思いつめたような声で、村岡先生が言った。

「こちらこそ。先生や学校の方にご迷惑をおかけすることになりまして」と、ハンカチを目に当てたまま、岩沢訓子の母親が答えた。

村岡先生が、これから校長先生の家へ行くと言い、ぼくらも一緒に岩沢訓子の家をひきあげることにした。やって来たときと同じように、ぼくと麻子さんと村岡先生は、岩沢訓子の姉さんに見送られてその家を出た。外はむし暑く、飴色《あめいろ》の西日が長く電柱の影をひいていた。

黙りこんだまま、三人で五分ほど府中駅の方向に歩いてから、ふと村岡先生が言った。

「あなたたちがそういう関係だったなんて、気がつかなかったわ。こんな教師では岩沢さんに問題があったとしても、見抜けなかったわね」

その口調には意識的に感情を殺した感じがあって、ぼくらをひやかしているのか、本心から教師としての能力を恥じているのか、判断はむずかしかった。どっちみち村岡先生の能力では、ぼくらが今日たまたま新宿で会っただけ、という関係は見抜けなかったろうが。

そのことをぼくが村岡先生に言ってやろうとしたとき、麻子さんが先に言葉を出した。

「お葬式、いつなんですか」

「今日じゅうに遺体が警察から戻されれば、明日がお通夜で、明後日がお葬式だそうよ。言うのを忘れてたけど、あなたたち、今度のことをあまり大騒ぎしないでね。クラスのみんなにはわたしから連絡します。いいこと?」

なんとなく納得のいかない言われ方だが、とりあえずぼくはうなずいた。麻子さんも鼻を鳴らすような感じで、それでも黙ってうなずいた。

「これから校長先生と相談してからだけど、お葬式にはクラスの代表だけ出てもらおうと思うの。事情が事情でしょう? 岩沢さんのお母様も内輪だけでやりたいとおっしゃるし、わたしとしては学級委員の森《もり》くんと西岡《にしおか》さんだけでいいと思うけど……酒井さん、クラスで岩沢さんと仲のよかった人、誰か知ってる?」

「さあ」

「岩沢さんが付きあっていた男子なんかは？」

「知りません」

「そうよねえ。あの人、遊んでいる様子はなかったものねえ」

「死んだのがわたしだったら、学校じゅうの男の子が行列をつくったでしょうけどね」

二人の間にはさまって歩きながら、思わず、ぼくは首をすくめた。二人とも岩沢訓子の死で気が立っているのだろう。麻子さんは村岡先生をまるで女として意識してしまっているし、村岡先生にしても、麻子さんが真先に岩沢訓子の家に駆けつけた気持ちを、知っていてわざと逆撫《さかな》でしているようなところがあった。この二人に友情を期待するのは、今のところ、無理だろう。

府中の駅に着いて、麻子さんが一人で線路を反対側へ渡っていき、ぼくと村岡先生は一緒に改札を通って、ホームへののぼり口で足をとめた。

「戸川くん、いつから酒井さんと付きあってるの」

理由は自分でも分らなかったが、そのときのぼくは村岡先生の質問に、素直に答える気分ではなくなっていた。

「先生には関係のないことです」

「あなたたちのクラス担任として、一応知っておきたいわ」

「個人的なことです」

「岩沢さんのことも個人的なことだけど、問題が起こると個人的なことでは済まなくなるの」

「ぼくと酒井が、心中でもすると？」

「それは分らないわ。問題なんて、起きたあとになってから分ることですものね。特にあなたたちには、お家《うち》の事情もあることだし……」

「下りですか」

「え？」

「校長先生の家」

「ああ、ええ」

「反対のホームです」

「そうね」

「これから洗濯物をたたんで、夕食の仕度をします。そういうこともみんな、個人的な問題です」

　ぼくは黙って立っている村岡先生に手をふり、上り線の階段を駆けあがって、ちょうどやって来た新宿行きの各駅停車で調布へ戻った。なんのために出かけたのか解らなくなっていたが、とりあえず今日は、疲れた日だ。

　家に着いたときは夕方と夜の境目あたりで、当然親父はいなかった。ぼくは門と玄関とダイニングと居間と庭の電気をつけてまわり、居間のクーラーもつけて、そこのソファに腰をおろした。帰りがけにとってきた新聞の夕刊を開いてみたが、岩沢訓子の事件はのっていなかった。女子高校生が一人自殺したぐらいでは、新聞の記事にはならないのだろう。

ふと庭を見ると、うす暗い中に白っぽいものがぶらさがっていて、思わずぼくは舌うちをした。親父は洗濯物をとり込んでいかなかったのだ。仕方なくぼくは立っていって洗濯物をとり込み、居間のソファでそれをたたみはじめた。

電話が鳴って、出てみると親父だった。

「今日は早く帰れる」

「ふーん」

「なにかうまいものが食いたいな」

「うん」

「じゃあな」

「うん」

まったく世話のやける親父だ。飯ぐらいどこかで勝手に食べてくればいいじゃないか、と思うのだが、お袋が出ていってからぼくがそういうふうに躾《しつ》けてしまったのだから、文句を言っても仕方ない。親父の言うところの「早く帰れる」は、手がけていた事件が思っていたより早く片づいたので、八時までには帰るという意味。「なにかうまいものが食いたい」は、帰ったときには風呂が沸いていて、風呂のあとはイワシの丸干しかサンマの開きでビールを飲みながら、ゆっくりテレビでナイターを観たい、という意味なのだ。たった一言でこれだけの意味を表現できる人間も、そうはいないだろう。

急げば間に合う時間だったので、ぼくは洗濯物の始末を途中でやめ、バイクで駅前のスーパーまで食糧の買い出しにでかけた。そこで親父の酒の肴と、ついでに三日分ぐらいの食糧を仕入れて、また急いで戻ってきた。夏休みが終るまでにはぜったいに家政婦を雇わせてやるぞと、ぼくはかたく心に誓っていた。

風呂に火をつけ、夕飯の仕度にとりかかったとき、ガレージのほうでフォルクスワーゲンのぶんぶんいう音が聞こえて、親父が帰ってきた。

台所に立っているぼくのうしろまで歩いてきて、親父が言った。

「今朝やっと寝入ったと思ったら、すぐまた電話で起こされた」

「ふーん」

「因果な商売だ」

「そうだね」

「ジャイアンツは勝ってるか」

「知らない。テレビつけてみなよ」

親父がテレビをつける気配がして、すぐに野球中継の音がとび出した。お袋がいたときは飯を食いながらテレビなんか観せてくれなかったから、ダイニングにテレビを持ち込んだのはもちろん、お袋が出ていったあとのことだ。

「三対一だ」

その親父の言い方だけで、ぼくにはテレビなんか観なくても、どっちが勝っているかはすぐ分る。ジャイアンツが負けているときは、まず「くだらない試合だ」から始まるのだ。最初から点数を言うときは、だから当然、ジャイアンツが勝っている。

またぼくのうしろまで戻ってきて、ぼくの手元をのぞきこみながら、親父が訊いた。

「夕飯はなんだ?」

「イワシの丸干しと、イカと赤貝の刺身。それとハンバーグ」

「みんなうまそうだ」

「風呂も沸いてるよ」

「よく気がつくな」

なにを今さら。

「入っておいでよ」

「そうか?」

「ちょうど夕飯もできてるから」

「そうだな。それじゃ、入ってくるか」

親父はぼくが気づいているのも知らないで、にんまりと微笑み、そのまま知らん顔で風呂場へ歩いていった。あの様子だとたぶん、覚醒剤《かくせいざい》の取り引き現場に現行犯で踏みこんだか、下着泥棒を拷問《ごうもん》にかけて自白させたか、そんなことでもやったのだろう。

親父は三十分ぐらいたっぷりと時間をかけて風呂に入り、例によって腰にバスタオルを巻いた恰好で戻ってきて、仕度のととのったテーブルに、よっと声を出して腰をおろした。

親父のコップにビールを注いでやりながら、ぼくが訊いた。

「岩沢訓子のこと、なにか分った？」

まだジャイアンツが勝っていたので、親父の頭はなかなかまわり出してくれなかった。

「岩沢訓子って？」

「うちのクラスの」

「おまえのクラスの子のことなんか、どうして俺が知ってるんだ」

「今朝父さんが、自殺したと言った子だよ」

「ああ……」

親父は一杯目のビールを一息に呷《あお》って、気持ちよさそうに、ふーっと長く息を吐いてみせた。

「妊娠してたそうだ」

「妊娠？」

「四カ月だとか言ってたな」

「岩沢訓子が、妊娠してた？」

「妊娠ぐらい、女なら誰だってできるさ」

「相手は？」

「なんの」

「妊娠なんて一人じゃできないだろう」

「そんなことまで警察が知るもんか。自殺だという結論が出てしまえば、事件はそれで終りだ」

ぼくは親父のコップにビールを注ぎ足してやり、自分ではハンバーグをフォークでつつきはじめた。

「それで、本当に、自殺だったの」

「そうらしいな。遺書もあったし」

「遺書にはなんて？」

「シュン、おまえ、今朝は興味もなさそうだったじゃないか」

「そうだけど、よく考えたら、クラスメイトだしさ。それになんとなく、おかしい気もする。友達も岩沢の家の人も、自殺の理由が分らないらしい」

「妊娠してたことが分れば、理由も分るだろう」

「そうだろうね。それで遺書の内容は？」

「俺が知るかよ。直接の担当じゃないんだから」

ぼくはハンバーグの刺さったフォークを下に置き、親父のほうに少し身をのり出した。

「ねえ父さん。遺書の内容、誰かに訊いてくれないかな」

「どうして」

「知りたいんだ」

「どうして」

「ただ、なんとなく」

「今ジャイアンツがいいとこなんだぞ」

「岩沢はさ、ねえ父さん、なんで遺書を自分の部屋に置かなかったのかな。自分の部屋の机とか、ノートの間とか」

「遺書なんて、どこへ置いても個人の勝手だろう」

「だけど橋の上では、なくなる可能性もある」

「なにが言いたいんだ」

「少しおかしいなって思うだけさ。理由はないけどね。それに、靴のこともあるし」

親父がいくらか本気になったような顔で、ビールを口に運びながら、じろりとぼくの顔を眺めおろした。

「靴が、どうしたって」

「遺書と一緒に靴が脱いであった、と言ったろう」

「それが、どうかしたか」

「どうして岩沢は、多摩川へとび込む前に靴なんか、脱いだのさ」

親父は気が抜けたような顔で、ふんと鼻を鳴らし、テレビに視線を戻して、ぼくには見えない角度で一つ欠伸《あくび》をした。

「それが自殺の作法だから」と、小学生を教える家庭教師のような言い方で、親父が言った。

「自殺する者は昔から履物を脱いで、きちんと揃《そろ》えておく。自分がとり乱していなかったことを他人に分らせるためにな。だから靴が脱いであっても、どこもおかしくはない」

「父さんにはおかしくないだろうけど、ぼくにはおかしいな、やっぱり」

「どうして」

「テレビの時代劇ではそうだし、父さんぐらいの歳《とし》の人なら靴も脱ぐだろうけど、岩沢は十七だよ。若いだけじゃなくて、なんていうか、そういうことって合わないんだよな、今の感覚に。かんたんに考えて、もしぼくが自殺するために川へとび込むとしたら、靴なんか脱がないと思う。もちろんそんなこと、父さんたちの言う意味での証拠には、ならないだろうけどね」

親父はビールを口に運んだり、箸《はし》を使ったりしながら、ちらちらとテレビに視線を向けていたが、本当はぼくの言ったことをけっこう本気で考えているのだ。親父は頑固ではあったが、依怙地《いこじ》ではなかった。

やがて親父は椅子を立って電話へ歩いていき、そこでぼくには背中を向けたまま電話の相手と、低い声で二、三分話をした。

元の椅子に戻ってきて、親父が言った。

「岩沢訓子の件は正式に自殺と断定したそうだ。少し前に父親が遺体をひきとっていった」

親父が空のコップを差し出したので、ぼくは冷蔵庫から新しいビールを出してきて、そのコップにビールを注ぎ足した。

「遺書の内容は『お父さん、お母さん、ごめんなさい』……それだけだ」

「それだけ？」

「そう、それだけ」

「それじゃ遺書かどうか、分らないだろう」

「水死体が発見されて、そのそばにそういう内容の書かれた紙が置いてあった。書いたのが水死人本人ということであれば、通常はそれを遺書と見なす。名探偵の目から見ると、警察の判断は間違ってるように思えるのか」

「なんとも言えないね」

「急に探偵ごっこを始めたようだから、ついでに検死の結果を言ってやるとな。死亡推定時刻は五日の午前一時前後。つまり今朝の一時ごろってことだ。直接の死因は酸素欠乏による脳および心臓機能の停止。からだじゅうに数カ所の打撲傷がみられるが、これは落下の際に生じたもので死亡原因とは関係なし。妊娠四カ月だったというのは、前に言ったとおりだ」

「水は飲んでなかったの」

「酸欠というのは溺死《できし》ということだ。水なんてただ飲むだけなら、バケツ一杯飲んでも死にはせんさ」

「やっぱり自殺なのかな」

「そうだな」

「父さんはどう思う?」

親父は軽くふーんと唸《うな》り、それからしばらく息をとめて、顔を皺《しわ》だらけにしながらなにやら考えこんでいた。

「ふつうに考えれば……」と、とめていた息を吐いて、親父が言った。「ばかな女子高校生が悪い男に遊ばれて、おまけに妊娠までさせられて捨てられた。悩んだあげく、誰にも相談できずに多摩川へ身を投げた。よくあることと言えばよくあることだが、ただ一つひっかかるのは、シュンの言ったとおり、その岩沢訓子って娘が川へとび込む前に靴を脱いだことだな。どこがどうひっかかるのか、俺にもよくは分らんが」

そのあとぼくらは事件のことは喋《しゃべ》らず、野球が終るまで、食事をしながら二人で黙ってテレビを観ていた。あいにくジャイアンツは最終回に点を入れられて、せっかくよかった親父の機嫌をまっさかさまに地獄へつき落としてくれた。親父が早く帰ってきたときぐらい、なんとかジャイアンツも、勝てないものか。

ぼくらは使った食器を流しに出し、それぞれの部屋にひきあげた。ぼくのほうは少し勉強でもしようと参考書を広げたが、意識は集中してくれなかった。それでもなんとか十二時ぐらいまで机の前にねばってから、ぼくは下におりて、戸じまりと洗いものをやり、かんたんにシャワーを浴びてベッドにもぐり込んだ。目をつぶっても、なんとなく寝つけなかった。それはただ暑いから、というだけの理由ではなさそうだった。

2

電話が鳴っていた。朝の早い電話は親父への用事に決まっているのだが、親父はぼくが家にいると分っているときは、決して自分で受けようとしなかった。ぼくは半分眠ったままの頭で腕をのばし、受話器をとって顎《あご》の下にはさみこんだ。電話の相手は酒井麻子だった。麻子さんが親父に、どんな用があるのだ。

「今、電話をまわします」と、寝呆《ねぼ》けて、ぼくが言った。

「まわすって、誰に?」

「え?　ああ……今、なん時?」

「七時半」

「ラジオ体操に行ってきたのか」

「ふつうの人は起きる時間よ」

「そういう意見も、あるんだろうな」

「訓子のこと、なにか分った?」

「妊娠してたって」

「妊娠?」

「妊娠ぐらい女なら誰でもできるって」

「誰が言ったの」

「うちの親父」

麻子さんが言葉を切って、電話の中でなにか唸った。

「ごめん」と、ぼくが言った。「寝起きは機嫌が悪いんだ」

「そんなことはどうでもいいの。妊娠の話、本当?」

「酒井に嘘を言う勇気はない」

「戸川くん、まだ寝呆けてるの」

「どうして」

「言い方がへんだわ」

「朝のせいさ」

「今、会える?」

「今?」

「相談があるの」

「まだベッドから、出てもいない」

「怒ってるの」

「どうして」

「起こしちゃったから」

「もう目は醒《さ》めた」

「じゃあ出てきてよ」

「うん、午《ひる》すぎに」

「午すぎ?」

「家の掃除《そうじ》があるんだ」

「冗談なの」

「本気」

「なんで戸川くんがお掃除なんかするのよ」

「趣味さ」

「午すぎまで待てないわ」

「それじゃちょうど、午でもいい」

「分ったわよ」

また麻子さんが言葉を切って、電話の中でなにか、かちかちと歯ぎしりみたいなことをやった。

「わたしがそっちへ行くわよ。それなら文句はないでしょう?」

ぼくが返事をする前に、麻子さんが電話を切った。たしかにきれいな子だが、少しヒステリー体質なのだろう。それとも女はヒステリー気味のほうが可愛げがあるという真理を、もう本能で悟っているのか。お袋もそうだった。

それにしてもやはりふつうの人間なら起きだす時間だったので、仕方なくぼくはベッドを出て、パジャマのまま下へおりていった。ちょうど親父も部屋から出てきて、欠伸をしながら新聞をとりに玄関へ歩いていった。今日も暑い一日になりそうだった。

ぼくは台所へ行って電気釜《がま》をセットし、朝飯の仕度にとりかかった。味噌汁《みそしる》の具は玉ネギとワカメと豆腐でいい。

新聞をとってきて、親父がダイニングの椅子に座りこんだ。

「あと三十分は寝てられたのにな」

親父は電話のことを言っているのだ。

「ふつうの人間は起きる時間さ」と、ぼくが答えた。

「こんな時間に電話なんかかけてくるやつの、顔が見たいもんだ」

「文句ならジャイアンツに言ってくれよ」

ジャイアンツが勝った次の日なら、親父はばかみたいに早く起きだして、そのジャイアンツが勝ったという記事を三回でも四回でも読みなおすのだ。

「昨夜あれから、ちょっと気になったんだが……」と、わざと音をたてて新聞を開きながら、親父が言った。「岩沢訓子って女の子の相手、まさかシュンじゃあるまいな」

吹き出しそうになったが、どうにかぼくは我慢した。

「どうしてさ」

「おまえがなんだか、急に興味をもったみたいだから」

「ぼくだったら四カ月なんかになる前に、方法を見つけるよ」

「そりゃあまあ、そうだな」

「味噌汁に卵は？」

「いや……だけどな、本当は妊娠なんかさせる前に、気をつけなくてはいけないんだぞ」

「分ってるよ」

「一応念のためだ。それが女性に対する、礼儀なんだから」

我慢できなくなって、ついにぼくは笑いだした。親父は「女性に対する礼儀」なんて言葉を、どこで覚えてきたのだろう。そんな高級なものを知っている人間だったら、お袋も出ていかなかったし、新しい彼女だってとっくにできている。それともぼくに言わないだけで、もうどこかに新戸川夫人の心あたりでも、あるのだろうか。

米が炊きあがり、ぼくがテーブルに納豆だのあつ揚げの煮物だのを並べはじめたとき、玄関でチャイムが鳴った。まさかとは思ったが、ぼくはいやな予感がした。

「父さん、出てみて」

「まだパジャマのままだ」

「ぼくだってそうだよ」

「いいじゃないか。おまえのパジャマは似合ってる」

まったく、パジャマが似合ってるかどうかなんて、誰が決めるのだ。

「分ったよ。今度父さんの新しいパジャマを、買っておくさ」

ぼくはテーブルを離れて玄関へ歩き、サンダルをつっかけて、ドアを外側に押し開けた。いやな予感は当っていた。立っていたのは麻子さんだった。電話があってから一時間もたっていないから、あのあとすぐに家を出てきたのだ。たぶんバイクを飛ばしてきたのだろう。ポニーテールに結った髪の前が、可笑《おか》しいぐらい乱れている。

「早すぎた？」と、ぼくの風体を上目づかいに値ぶみして、麻子さんが言った。

「ちょうどよかった」と、ぼくが答えた。「まだ飯も食っていないから」

その言い方が少しいや味だったことに気がついて、ぼくが言いなおした。

「この家、よく分ったな」

「誰でも知ってるわ」

「幽霊は出ないけど」

「小学校のとき写生に来た。こういう家にはどんな人が住んでるのかなって、そのころから興味をもっていたわ」

「現実が人間を、おとなにするんだよな」

客間に通そうかとも思ったが、なんとなくそういう雰囲気ではなかったので、ぼくは麻子さんにあがってもらって、そのままダイニングへ連れていった。親父も戸惑ったろうが、麻子さんのほうはあ然としていた。家政婦が十人もいるわけではなく、だだっ広いダイニングルームのまん中に置かれたテーブルに、冴えない中年男がパジャマのまま新聞を広げているだけ。現実というのは、こういうものだ。

なんのつもりか、新聞を持ったまま立ちあがって、親父がばかていねいに挨拶をした。

「親父だよ」と、ぼくが二人を紹介した。「クラスの酒井さん」

二人は初めましてとか、お世話になりますとかへんな挨拶をし合って、それでも二人してつっ立ったまま、どちらも腰をおろそうとしなかった。

「朝飯は食べたの」と、ぼくが麻子さんに訊いた。

「え？　ああ、いいえ」

「朝食は食べたほうがからだにいい。座りなよ、父さんもさ」

二人がやっと我に返ったという感じで、もぞもぞと椅子に座りこんだ。ぼくは麻子さんのぶんも朝飯の仕度をして、台所とテーブルの間を行ったり来たりした。

「なにか、クラスの人が自殺したとかで……」と、柄にもなくかた苦しい言い方で、親父が麻子さんに話しかけた。

「はい。それで戸川くんに、用事がありました」と、かしこまって、麻子さんが答えた。

「最近の若い人はなにを考えてるんだか……」

「はい」

「ジャイアンツも弱いし」

「はい」

親父も少しは頑張ったのだろうが、二人の会話はそれ以上つづかなかった。案の定親父は咳ばらいみたいなことをやって、なにくわぬ顔で自分の部屋へ歩いていった。そして戻ってきたときには、なにを思ったのか、着がえを済ませていた。女子高校生を息子と張り合う気にでもなったのか。

仕度が終って、ぼくらは三人で朝飯を食べはじめた。親父はテレビをつけたものかどうか迷っていたが、けっきょくは腰をあげなかった。それどころか椅子に胡坐《あぐら》を組んで座ることもなく、まるで自分がお見合いでもしているように、背筋をのばして毅然《きぜん》とした顔をつくっていた。

「今日の味噌汁は、うまい」と、熱でも出たのか、突然断固とした口調で、親父が言った。

ぼくと麻子さんが返事をしなかったので、親父は鼻白んで、また一人で黙々と食事をつづけた。

すると今度は麻子さんのほうが箸を置いて、親父に負けないぐらい断固とした声で、親父に言った。

「わたし、府中の酒井組の娘です」

少なくともぼくの見た感じでは、親父は驚かなかった。ただ自分はけっして驚いてはいないぞ、という決意みたいなもので、首のところが少し緊張していた。

「ああ、そうですか」と、落ちついた声を出して、親父が麻子さんにうなずいた。

「でも家は昔からのテキ屋で、暴力団とはちがいます」

「なるほど」

「覚醒剤《かくせいざい》とか売春とか、ああいうものはやっていません」

「あれはやらないほうが、いいですな」

「でもヤクザはヤクザなんです」

「そりゃまあ、そうですが」

「でも……」

「はい？」

「まともなヤクザなんです」

「なるほど」

二人の会話はそこで途切れ、食事が終るまで、もうどちらも相手に話しかけようとしなかった。ぼくは一人で、笑いをこらえるのに精一杯だった。

「あのあつ揚げの煮物、ちょっとしょっぱかったわね」と、親父が出かけていったあと、やっと肩の荷がおりた、という感じで麻子さんが言った。

ぼくはテーブルの食器を片づけ、コーヒーの豆をひいて、パーコレータを火にかけていた。

「出汁《だし》が足らなかったんじゃないの」

「そうかな」

「お砂糖は入れた？」

「入れた」

「お酒は？」

「入れてない」

「煮物にはお酒を少し入れるといいわ」

そこでやっと状況に気がついたのか、麻子さんの声が急に、怪訝《けげん》そうな調子になった。

「だけど、どうして、戸川くんが食事の仕度《したく》なんか……」

「お袋に捨てられたんだ、二人とも」

「二人とも？」

「親父とおれ」

「真面目《まじめ》な話？」

「真面目な話」

「いつのことよ」

「三年前」

「それじゃ三年間、ずっと戸川くんが食事をつくっているの」

「洗濯したり、掃除したり」

「嘘みたい」

「自分でもそう思う」

「ぜんぜん知らなかった」

「自分でも、知りたくない」

「今日お掃除があると言ったのも、本当だったのね」

「そう言ったさ」

「わたし、戸川くんの冗談かと思った。それで頭にきて、わざと早く来たの」

「そうだろうな。玄関を開けたとき、酒井は、怖い顔していた」

コーヒーが沸いて、パーコレータとコーヒーカップを、ぼくがテーブルのところへ持っていった。

「砂糖入れる？」

「入れない」

ぼくも砂糖は使わなかったので、二つのカップにコーヒーを注ぎ、ぼくは麻子さんの向かいの椅子に腰をおろした。しばらく忘れていたが、家に女の人の匂いがあるというのは、やはりいい感じだった。それも家政婦なんかではなく、親父の新しい女房とか、まあ、ぼくの好きな子とか。

コーヒーをひとすすりして、ふと麻子さんが顔をあげた。

「忘れていたわ。なんで急いでやって来たのか、ということ」

「いつ思い出すのかと思ってた」

「訓子の妊娠の話、本当に本当？」

「本当に本当。四カ月だって。それで警察も自殺と断定した」

「相手は？」

「分らない。警察も調べる気はないらしい」

「訓子が妊娠だなんて、信じられる？」

「だいいち四カ月なら、おろすのも大変じゃない。あの子、そんなにうっかりした子じゃなかったわ」

「その子供を産みたいと思ってたら、話は別さ」

「産みたいって」

「相手の男に惚《ほ》れていれば、そういうことも、なくはない」

麻子さんが考えこんで、椅子の中で少し背中をずらした。

「だけどもしそんな相手がいたとして、家の人も友達も誰も気がつかなかったなんて、そっちのほうがおかしいわ」

「注意してたんだろう、他人に知られないように」

「なぜ」

「知られては具合が悪かった」

「なぜ」

「なぜ……なぜ岩沢は遺書にも、その理由を書かなかったのか」

「遺書の内容も分ったの」

「『お父さん、お母さん、ごめんなさい』」

「それだけ?」

「そう」

「さあ」

「それがどうして遺書になるの」

「状況のつみ重ねらしい。酒井……君がもし自殺をするために、川へとび込むとするよな。そのときは靴を、脱ぐか」

「なんの話？」

「いいから考えろよ。靴を脱ぐかどうか」

「脱がない」

「そうだよな。だけど岩沢は脱いでいた」

「どういうこと？」

「どういうことかな。それが分れば、問題は解決する気もするけど」

それからぼくたちはしばらく、それぞれの頭の中を整理しながら、黙ってコーヒーを飲んでいた。日もすっかりあがりきって、そろそろ本格的な暑さがやって来ようとしていた。

「やっぱりおかしいわ、なんとなく、ね」と、静かに首を横にかしげて、麻子さんが言った。

「なんとなく、な」と、ぼくが答えた。

「ひとつだけはっきりしているのは、訓子の相手は芸能人とかプロ野球選手とかじゃなくて、わたしたちが探そうと思えば探せる範囲の人ということ。そうでしょう？」

「たぶん」

「探してみたいわね」

「そうだな」

「手伝ってくれる?」

「君がシャーロック・ホームズで、おれがワトソンだ」

「逆でもいいわよ」

「いいや。おれは家政夫兼務の探偵だから、大した役には立たないさ」

ぼくが探偵を手伝うかわり、麻子さんが家の掃除を手伝ってくれることになって、ぼくは二階へ行ってパジャマをジョギングパンツとTシャツに着がえてきた。家じゅうの窓という窓をぜんぶ開け放ち、ぼくらは手分けしてこの古いばかでかい家の掃除にとりかかった。お袋がいたころは「掃除だけで半日はつぶれてしまう」と、よく文句を言っていた。自分でやりはじめて、ぼくはお袋の愚痴が大げさでなかったことを知ったが、ぼくのほうはせいぜい一週間に一度ぐらいしか、掃除はやらなかった。「埃《ほこり》なんかで人間は死にはせんさ」という親父の意見を、素直にとり入れたのだった。

ダイニングと居間は麻子さんに任せて、とりあえずぼくは親父の部屋を片づけ、それから今は使っていない、以前はお袋の仕事部屋だった場所の掃除にとりかかった。祖父《じい》さんが生きていたころは祖父さんの部屋だったものを、お袋が机だの作業台だのを持ちこんで仕事部屋にしていたのだ。

仕事部屋といっても、お袋はそこで収入になるような、特別な仕事をしていたわけではなかった。七宝焼きに凝っていたときは七宝焼きの窯《かま》だの絵の具だのが散らばり、鎌倉彫りのときはその道具で溢《あふ》れ、ドイツ刺繍《ししゅう》のときは糸だの布だのが山積みになるといったような、要するにお袋が自分の世界に閉じこもるための部屋だった。お袋はその部屋に閉じこもりながら、逆にその部屋からの出口を探していたのだ。この古い家の中で、ただじっと歳をとるのを待つだけの人生を、お袋がどんなに怖《おそ》れていたことか。なにもしないでただ生きているだけの人生にも、もしかしたらそれなりの意味があるのかも知れないという発想が、お袋には最後まで理解できなかった。これからもたぶん、理解はしないだろう。

はたきをふりまわしたり掃除機をかけたり、その部屋の掃除が一段落したとき、居間のほうから麻子さんがぼくを呼びにきた。この部屋の電話機は外してあったので、かかってきた電話を麻子さんが受けてくれたのだ。ぼくは居間へ歩いていって、外してあった受話器をとりあげた。

相手は朝倉洋子《あさくらようこ》だった。なんで朝倉洋子が電話なんかしてくるのか。ぼくは背中に水道のホースをつっ込まれたような、寒い気分になった。

「今電話に出た女の人、だあれ？」と、無理やりつくったような明るい声で、朝倉洋子が訊いた。

「親父が新しい女房をもらった」と、ぼくが答えた。

「ずいぶん若い声じゃない」

「親父はロリコンだから」

「そうだったの」

「そういう顔だろう」

「今、なにしてる?」

「掃除」

「会える?」

「会えない」

「夜は?」

「夜も」

「明日……」

「明日も用がある」

「この前のことは、冗談だったのよ」

「もういいさ」

「本気じゃなかったの」

「おれは本気だった」

「もう一度会って、ちゃんと話したいのよ」

「話はした」

「だけどあのときは、二人とも頭に血がのぼってたじゃない」

「今はのぼってない」

「それじゃ本当に、このまま終りにしたいわけ?」

「それもあのときに言った」

「後悔するわよ」

「後悔は得意さ」

「そういう人だったの」

「知ってたろう」

「ねえ、もう一度会えない？」

「同じことはくり返したくない」

「本当に、後悔しない？」

「うん、無神経だから」

朝倉洋子が言葉を切って、しばらく電話の向こうで黙っていた。

それから気をとりなおしたような声で、またつづけた。

「新しいお母さんて、いい人？」

「うん」

「きれい？」

「うん」

「会ってみたかったわ」

「うん」

「それじゃその、新しいお母さんによろしくね」

「うん」

ちょっと間があってから、電話が切れた。ぼくも受話器を戻し、Tシャツの裾《すそ》で顔の汗を拭《ぬぐ》った。

ふり返ると、そこのソファに、麻子さんが胡坐をかいて座っていた。今の電話をしっかり聞いていたらしかった。気まずい雰囲気ではあったが、言い訳をする必要もなかったので、ぼくはそのままお袋の仕事部屋へ戻ろうとした。

「戸川くんて、そういう人だったの」と、座っているくせに立っているぼくを見下すような目で、麻子さんが言った。

「掃除、終ったのか」

麻子さんはジーンズのポケットから煙草と紙マッチをとり出し、一本をくわえて、しゅっと火をつけた。

「朝倉さんて、三年生の朝倉洋子さんじゃない？」

「君には関係ない」

「あんな言い方、しなくてもいいのに」

「あんな、なんだよ」

「あんな冷たい言い方よ。まるで押し売りでも追い払うような言い方だったじゃない」

「そんな言い方はしてない」

「そうなの？」

「そうさ」

「それじゃ心が冷たいんだわ。相手の気持ちも考えなさいよ」

「大きなお世話だ」

「向こうが会いたいって言うんなら、会えばいいじゃないの。戸川くんてそんなに偉かったの」

「酒井に言われる覚えはないし、おれも君にいちいち、説明する必要はない」

「朝倉さんのどこが悪いのよ。男の子ならみんなあの人と、付きあいたがるじゃないの」

「それじゃ彼女に、君からそう言ってくれ」

「女の子の気持ち、分らないの」

「相手によりけりさ」

「彼女にも言われた」

「無神経だわ」

「卑怯《ひきよう》よ」

「無神経だものな」

「あんたみたいに無神経で傲慢《ごうまん》で冷たい人、初めて見たわ」

　気圧の具合か体調の加減か、そこで麻子さんは煙草を灰皿でめちゃくちゃに押しつぶし、声を出して泣きはじめた。デパートで子供が駄々をこねて泣くような、あんな感じの泣き方だ。ぼくは呆気《あつけ》にとられて、首をふりながら泣きつづける麻子さんの様子を、茫然《ぼうぜん》と眺めていた。昨日《きのう》岩沢訓子が死んだと聞かされたときでさえ泣かなかった酒井麻子が、今はまるで子供みたいに、目いっぱい大声を出して泣いている。それもぼくと朝倉洋子が別れた、という理由でだ。

いったいこの子は、どういう体質をしているのだろう。

ぼくにだってタオルを渡してやるとか、水を持ってきてやるとかぐらいのことは思いついた。ただ暑かったし、うんざりもしていた。ぼくはそこに立って、ぼんやりと麻子さんの泣く様子を眺めていた。麻子さんは頭の先から顎の下まで、汗と涙でもうぐちゃぐちゃだった。もしこれが化粧をする女の人だったら、正月の福笑いみたいな顔になっている。

そうやって麻子さんは、飽きもせずに十分ぐらい泣きつづけていた。やがて泣きだしたときと同じように急に泣くのをやめ、ぼくのほうに顔をあげて、ふーっと一つ息を吐いた。

「ああ、さっぱりした」と、まるで嘘みたいにけろっとした声で、麻子さんが言った。「やっぱり戸川くんて、冷たいじゃないの」

「そうかな」

「『泣くなよ』とか『おれが悪かった』とか、声ぐらいかけてよ。そこにただ立ってるだけじゃ、泣きやむきっかけが分らないわよ」

「それじゃ、そう言えばよかった」

「そんなの、男の子の礼儀だわ」

「ああ、まあ、悪かった」

麻子さんがぐちゃぐちゃの顔で、にっと笑い、なんだか知らないが、なんとなくぼくも可笑しくなった。昨日新宿で会ったとき『こんな子と付きあうのはたぶん、ひどく大変なんだろう』と思ったぼくの感想は、だいたい当っていた。ただどういうわけか男というのは、わざと大変な女を選んで惚れようとするらしい。ぼくの親父もそうだった。

「そっちのほうは片づいたの」と、シャツの裾で顔を拭《ふ》きながら、麻子さんが訊いた。

「だいたいね」と、ぼくが答えた。

「シャワーを貸してくれる？」

「いいよ」

「あんたのせいで、わたし、からだじゅうがべとべとなの」

ぼくは麻子さんを連れて風呂場まで行き、シャワーの使い方を教えて、それから洗ってあるTシャツとバスタオルを貸してやってから、自分ではトイレの掃除にとりかかった。それを終らせ、あっちこっちの窓を閉めて居間とダイニングにクーラーを入れたとき、麻子さんが風呂場から戻ってきた。さっき泣いていたときとは人がちがうかと思うほど、さっぱりとして落ちついた顔をしていた。たったこれだけの時間で、この子はかんたんに人格を入れかえられるのだ。ただ貸してやったTシャツだけはもう少し、色の濃いもののほうがよかった。白地に小さいワンポイントが入っているだけのTシャツでは、下にブラジャーをつけていないことが分ってしまう。もちろん分ったところで、それほどたいした胸ではなかったが。

麻子さんがダイニングの椅子に腰かけたので、ぼくは冷蔵庫からコーラを二本出してきて、自分も向かいの椅子に腰をおろした。まだ午にはなっていなかったが、外は金紙を貼《は》りつけたような、とんでもなく暑そうな色になっていた。

「台所もおれがやるよりはきれいになってる」と、それは本心で、ぼくが言った。

「女の子を褒めるなんて、初めてでしょう」と、目だけで笑って、麻子さんが訊いた。

「何回かは褒めたことがある」

「自分の部屋は片づけたの」

「あそこは、たまにはやってる」

「二階？」

「うん」

「どんな部屋？」

「つまらない部屋さ」

「見てみたいな」

「人には見せない」

「エッチな写真があるとか」

「あるさ」

「本当に？」

「どうして」

「ああいうのって不潔じゃない」

「たまには使うんだ」

「そんなものを使うぐらいなら、朝倉さんと別れなければいいのに」

「それとこれとは話が別……その話、まだしたいのか」

「はずみで言っただけよ」

麻子さんが視線を落としてコーラを一口なめ、掌《てのひら》で口のまわりを、くしゃくしゃとこすった。

「わたし、思ったんだけど」と、額に太い皺をつくって、麻子さんが言った。「訓子に女の子の友達が一人もいないってこと、なかったと思うの。女の子って一人や二人は、秘密をうちあけ合うような友達がいるものなのよ。うちのクラスにいなくても、どこか他に」

「君は？」

「今言ってるのは一般論、特殊なケースは考えなくていいの」

ぼくの返事を待たないで、麻子さんがつづけた。

「中学のときはわたしと訓子と、体操部で二組の雨宮君枝《あめみやきみえ》と、あと都立へ行ったもう一人の女の子と、その四人が仲がよかったの。君枝は一年のときも訓子と同じクラスだったから、昨夜電話してみた。君枝もびっくりしてたわ。訓子のことは誰からも連絡がいかなかったのね。でも最近のことは知らないって。君枝は体操が忙しくて、友達と遊んでる暇はないらしいの」

「彼女、国体に出るんだよな」

「そう。朝から晩まで、ずっと練習らしい。一年のときに訓子と親しくしていた友達も、思いあたらないって」

「もう一人の子は？」

「伊藤寛子《いとうひろこ》といって、都立の東高へ行ったの。昨夜電話してみたけど、いなかったわ」

「その子の電話番号、今、分るか」

「ええ」

「男のほうは警戒していた感じがある。最終的には男を探すにしても、とりあえずは女の子のほうから探してみるか」

「ワトソン君、わたしもそう思うわ」

麻子さんがダイニングの電話へ歩いていって、尻ポケットから小さなアドレス帳を出し、その伊藤寛子とかいう女の子のところへ電話をかけはじめた。

女の子の電話っていうのはたいていいそうらしいが、麻子さんたちもまず近況報告をやり合い、次に天気だとか体調だとかの話をして、それからやっと本題に入ってウソーッだとかエーッだとかの合の手を頻繁にまぜ、長々と五分ばかり喋りあっていた。

やっと戻ってきて、麻子さんが言った。

「寛子もびっくりしてたわ。昨日はデートで帰りが遅かったんだって」

「その子は死刑だな」

「ちっとも知らなかった」

「なにが」

「今寛子が付きあってる男の子、うちの学校の子なの。五組に高沢康男《たかさわやすお》っているじゃない？背が高くて、パーマかけてて」

「君の友達は付きあう男に、特殊な趣味があるのか」

「寛子は背が高い子が好きなの」

「それで……」

「訓子のことを話したら、びっくりしちゃってね、会って詳しく聞きたいと言うの。それでわたし、これから行くと言っちゃった。一緒に行くでしょう?」

「助手には命令するだけでいいさ。『来たまえ、ワトソン君』」

麻子さんが口を開けて笑い、立ったままコーラのビンを摑《つか》んで、残りの半分を一気に咽《のど》へ流しこんだ。

「もう一つね、思い出したことがあるの」と、舌の先で唇をなめてから、麻子さんが言った。「一昨日《おととい》訓子はB・Z・Eを見にいくと言って、家を出たのよね。だけどあの晩はテレビでヒットテンをやってて、わたしもそれを見たの。B・Z・Eも出てたけど、でもそれはスタジオじゃなくて、岡山だか広島だかからの中継だったわ。だから一昨日訓子がB・Z・Eのコンサートへなんか、行けるはずはなかったのよ」

「つまり、それは……」

「つまり?」

「岩沢はおれが思っていたような、おとなしくて目立たないだけの子じゃなく、家の人が思っていたような、なんの間違いもないしっかりした娘でもなく、他人に知られたくない秘密、それも死ななくてはならないほどの秘密をもった、君が中学のとき仲のよかった岩沢訓子とは別な女の子だった……つまり、そういうことさ」

麻子さんの乗ってきたバイクは、白いスクータータイプの50ccだった。色がちがうだけでぼくのバイクも同じようなもので、ぼくらはバイクを連ねて京王線を北側に渡り、旧甲州《こうしゅう》街道を抜けて府中側に出た。

伊藤寛子という女の子の家は調布から府中に入ったすぐのところにある、市営だか都営だかの集合住宅にあった。四階建ての四角いアパートがいくつも並び、ぼくらは二度ばかり、その団地の中をバイクでぐるぐると走りまわった。中学のときに一度来ただけで、麻子さんも場所を覚えていなかったのだ。

同じかたちの建て物の中に、やっとその家の入っている棟をみつけ、ぼくらは階段を三階まであがっていった。ドアを開けてくれたのは丸顔の、額にニキビの目立つ、太った感じの女の子だった。

ドアを開けるなりその女の子は、まずぼくの顔を見て、ひゃーっと叫んだ。顔を見られて叫ばれたのは、ぼくはそのときが初めてだった。

「麻子、彼氏と一緒だなんて、言わなかったじゃない? 言ってくれれば片づけといたのにさ」

そう言いながらも伊藤寛子はぼくたちをすぐ中へ入れてくれて、流しのそばに小さいテーブルと椅子を押しこんだ、狭い部屋へ連れていった。他にも六畳ぐらいの部屋が二つあったが、そのどちらにもまったく、感心するほどの家財道具が詰めこまれていた。高い所のものをとるときは足ぶみをするだけでいいように、という工夫かも知れなかった。

「電話で聞いてさあ、びっくりしちゃったわよ」と、椅子に座ったまま冷蔵庫から麦茶の容器をとり出して、伊藤寛子が言った。「今こうやって麻子の顔を見たって、まだ信じられない。ねえ、自殺だなんてさあ」

「それがね、自殺の原因が分らないの」と、伊藤寛子の半分ぐらいの声の大きさで、麻子さんが言った。

「だって遺書があったんでしょう?」

「遺書には理由が書いてなかったらしい。ただ『お父さん、お母さん、ごめんなさい』って、それだけ」

「それだけ? へええ、訓子らしくないわよねえ」

「君枝にも電話で訊いてみたけど、自殺の理由は思い当らないって。あの子体操が忙しくて、最近は訓子と付きあっていなかったらしいの」

「麻子はどうなの? 訓子と同じクラスなんでしょう」

「わたしもなんとなく付きあっていなかった。寛子、なにか知らない?」

「知らないわよ、だって……いつだったか訓子と、ばったり会ったことはあるけど」

「いつごろの話?」

「六月ごろだったかしらね。府中の駅のそばで会ったのよ。学校の帰りだったと思うわ。わたしのほうはなにか用があって急いでたんだけど、訓子がお茶でもしようって言うんで、それでほら、靴屋の二階に『モン』ていうパーラーがあるでしょ? あそこでチョコレートパフェを食べたわ。訓子がおごってくれたの。自分が誘ったんだからってさ」

「それで、どんなことを話した？」

「学校のこととか、中学のときの友達のこととか。そのとき二年になって麻子と同じクラスになったって聞いたのよ。そういえば言ってたわ、中学のときみたいには親しくないって」

「どんな友達の話が出たの」

「そりゃあ麻子だとか君枝だとかの話よ。君枝、国体に出るんだってね」

「最近親しくしてる子のこと、聞いた？」

「聞かなかったと思うけど」

「男の子のことは？」

「やっぱりね」

「やっぱりって」

「それがさ、ほら、どうしたってそういう話になるじゃない……麦茶飲みなさいよ。それでさ、わたしのほうは高沢くんのことをべらべら喋っちゃったわけ。それで訓子はって訊いたら、いるわけないなんて言うのよ。だけどわたし、ああいるなって思ったわ。それぐらい分るじゃない、ねえ？」

「その話のとき、訓子はどんなふうだったの」

「どんなふうって」

「嬉《うれ》しそうだったとか、なにか困ったことがある感じだったとか」

「そうねえ……そのこと、訓子の自殺と関係あるの？」

麻子さんがちらっとぼくの顔を見たので、伊藤寛子には気づかれないように、ぼくも目で合図を送りかえした。妊娠のことまで知らせる必要はないという、麻子さんには分るはずの合図だった。

「自殺だっていうんなら、とにかくその理由ぐらいは知りたいのよ」と、麻子さんが言った。「男の子の話が出たときのこと、思い出せない?」

「だからねえ、誰かいるなっていうのは感じたんだけど、どうだったかしらねえ。そのときわたし、クラスの子だとか同じ学校の子じゃないなって思ったの。だってそういう相手だったら隠す必要はないわけでしょう? 訓子の言い方もね、本当は喋っちゃいたいんだけど、喋っちゃいけないんだっていうような……分るでしょ? そういう感じ。だからこっちもあまりしつこくは訊かなかったの。訓子が誰と付きあってたって、関係ないものね、高沢くんじゃなければさ」

ちょっと言葉が途切れ、ぼくらは三人で黙って、麦茶のコップを口にもっていった。

「だけど……」と、いくらかぼくのほうを気にしながら、伊藤寛子が言った。「訓子が生きてればこんなこと、麻子には言わなかったんだけどね。あの子、本当はだいぶ無理をしてたんじゃないかと思うの、学校のことやなにか」

「学校のこと?」

「中学三年のときね、本当はわたしと訓子、よくそのことを話したのよ。わたしは最初から深大寺学園なんかへ行くつもりはなかったからさ。だって、あんたたちの学校ってお金がかかるじゃない。入学金だって私立の大学並だしさ。わたしは訓子に、無理することなんかないって言ったのよ。だけど君枝と麻子は深大寺学園って最初から決めちゃったでしょう。四人の中でどっちかって言えば、訓子は麻子と一番仲がよかったしさ。それであの子、どうしても深大寺学園に行きたかったんじゃないかしら。だけど、ねえ、訓子の家ってふつうの会社員だし、あの家だって二十年のローンで、まだ返し終ってなかったし。高校の入学金なんか、訓子のお母さんの実家から借りたとか言ってたわ」

「そんなこと、聞いてなかった」

「だからこれはわたしと訓子だけの話なのよ。訓子が麻子や君枝に言うわけないじゃない。べつにわたしだって言うつもりはなかったけどさ。だけど麻子だって、ちょっとぐらいは分ってやっても、よかったんじゃない?」

麻子さんの目が一瞬つりあがったような気がしたが、それはたぶん、台所の小さい窓を雀かなにかが横切った、影のせいだった。団地の北側に植わった高い欅《けやき》の方向から、暑苦しい油蟬の鳴き声が聞こえてくる。

「お葬式はいつ?」と、ニキビの目立つ額に皺を寄せて、伊藤寛子が訊いた。

「明日じゃないかしら、今夜がお通夜で」

「今夜は用があるのよね。お葬式も家でやるの」

「聞いてない。でも訓子の家ではあまり人を呼びたくないらしい。事情が事情だし」

「けっきょくこの前会ったのが最後になっちゃったわけか。分らないわよねえ、人間なんてさ。

訓子が死んだなんて、今でも信じられないわよ」

それから麻子さんが五分ばかり伊藤寛子とあたり障りのないことを話し、会話の切れ目を見はからって、ぼくたちは一緒に腰をあげた。

「今度はもっと片づけておくから」と、伊藤寛子がぼくに言った。

蟬の声も相変わらずだったし、それに京王線の電車が走る音が、びっくりするぐらい近くに聞こえていた。建て物のどこかからは子供の泣く声が聞こえ、テレビの音やピアノの音も、まるでこの暑さに張り合ってでもいるように、わんわん響いていた。灰色のはずのコンクリートがま上からの光で、オレンジ色に光って見える。

二人でバイクをとめたところに戻ってから、麻子さんが言った。

「今日はずっと付きあってくれる？」

「命令か」

「命令よ。このまま一人になると、落ちこみそうな気がするの」

バイクに跨《また》がってから、尻をつねられたような顔で、麻子さんがにっと笑った。

「泳ぎに行かない？」

「いいよ」

「よみうりランド」

「そうだな」

「家へ帰って水着をとってくる」

「うん」

「一時間で戸川くんのところへ迎えに行くわ」

「うん」

「待っていたまえ、ワトソン君」

エンジンをかけ、団地の敷地から旧甲州街道に出て、そこでぼくたちは右と左に別れた。この天気はたしかに、探偵ごっこなんかには似合わない。午睡《ひるね》をするか泳ぐか、どちらかだ。

麻子さんはきっかり一時間でやって来た。ぼくらはまた二台のバイクを連ねて多摩川原《たまがわら》橋を渡り、稲城を抜けて、矢野口《やのくち》側からよみうりランドに出た。そのころが一日のうちでも一番暑い時間で、プールは五メートルとはまっすぐに歩けない混み方だった。

足洗い場のところで麻子さんが更衣室から出てくるのを待って、ぼくらは地下道をくぐり、円周プールの内側に出た。そこでコンクリートの上にあいている場所を見つけ、タオルを敷いて腰をおろした。麻子さんの水着は青い平凡なワンピースだったが、あまり日に灼《や》けていないところを見ると、今年はまだ海へ行っていないのだろう。

考えてみれば、ぼくもこのプールに来るのは久しぶりだった。中学のころまでは夏になると毎日のように通っていたが、いつの間にか来なくなって、もう二年になる。あのころからはしゃぎまわることをやめたのだ。

麻子さんがそっと立ちあがり、ゆっくりプールサイドへ歩いていった。ぼくも軽い準備体操をやりながら、あとについていった。

日に灼けていないわりには、麻子さんの泳ぎは完璧で、平泳ぎも女の子がよくやる犬かきまがいのものではなく、頭から水につっ込んでいく、基本どおりのものだった。麻子さんはその平泳ぎとクロールをまぜ、プールのまん中で、脚のはえた人魚のように泳いでいた。ぼくのほうはプールの横をクロールで一度往復しただけで、さっさとタオルの置いてある場所にひきあげた。親父に言われるまでもなく、ぼくは少し煙草の吸いすぎのようだった。

いくらか寝不足だったせいか、横になって目を閉じると、ぼくの意識にふんわりと霞《かすみ》がかかってきた。子供たちの喚声が一つのまとまったぼわーんというような音になって、頭の上を軽く通りすぎていく。音がしているかと思うほど、強い日射しがてらてらと背中を焙《あぶ》っている。あまり面倒なことは考えたくない。なにもなければ、今日は本当は、とっても気持ちのいい日だ。

麻子さんが戻ってきて、飛沫《しぶき》をとばしながら、勢いよくぼくのとなりに座りこんだ。肩で息をしている横顔が実際の歳よりも幼く見えるのは、手脚の丸みが不十分なせいか。

「どうして泳がないの」と、ま上からぼくの顔をのぞきこんで、麻子さんが訊いた。

「動悸《どうき》と息切れがひどいんだ」と、ぼくが答えた。

「でも泳ぎは上手じゃない」

「君のほうがうまいさ。おれは自分よりうまい子と泳ぐほど、プライドが低くない」

「そのわりには日に灼けてる」

「庭の草むしりのせいだろう」

本当は夏休みに入ってすぐ、朝倉洋子と湘南《しょうなん》へ行ってきたのだが、そのことは言わなかった。

麻子さんが黄色いビニールバッグから水筒とマクドナルドの袋をとり出して、起きあがったぼくの手に紙コップを渡してくれた。水筒の中味はカルピスだった。

ぼくらは麻子さんが買ってきたハンバーガーを一個ずつ食べ、カルピスを飲んで、一本ずつ煙草を吸った。

「海へ行きたいな」と、プールのほうに目をやったまま、麻子さんが言った。「本当はお盆に社員旅行があるの。おかしいでしょう？　ヤクザの社員旅行なんて」

たしかにおかしかったが、どこがおかしいのかは、よく分らなかった。

「戸川くん、テキ屋って知ってる？」

「さあ」

「大國魂神社とか深大寺とかで、お祭りがあるじゃない。あのとき小さい屋台がいっぱい出るでしょう。ああいうのをテキ屋といって、全国の縁日を渡り歩くの。うちの親父はこの辺のもとじめなのね。だってそういう人がいなくちゃ、誰がどこへ店を出すか収拾がつかないのよ。法律的にはどうか知らないけど、必要悪みたいなものかしらね」

「税金をとって昼寝をしてる連中より、高級さ」

「それにふだんは鳶《とび》なの。鳶っていうのも知らないでしょう」

「火消しでないことは、知ってる」

「建築現場で足場を組んだり、鉄骨を組み立てたりするの。だからうちだって表向きは建設業なの。それで社員がいるわけ。荒っぽい仕事だからたしかに気は荒くなるし、若い子なんか暴走族と一緒に遊びまわったり、酔っぱらって喧嘩《けんか》をしたりするけど、でも暴力団とはちがうのよ。そういうことって、説明しても分りにくいでしょう」

「そうでも、ない」

「わたしね、いちいち説明するのがいやなの。それに一般の人には、ヤクザと暴力団が同じでもちがっても、関係ないものね。弁解してみたって素人《カタギ》じゃないことはたしかだし……今だけね、ちょっと弁解してみたの」

麻子さんはポニーテールに結っていた髪の輪ゴムを外し、一度髪をばらばらにしてから、指でまたていねいにまとめなおして、そこにくるっと輪ゴムを巻きつけた。きれいな脇《わき》の下だった。

「さっき寛子の話を聞いたとき……」と、投げ出した自分の膝《ひざ》小僧あたりに目をやりながら、麻子さんが言った。「もしかしたらわたし、自分がこだわりすぎたかなって思ったの。わたしは訓子のことを考えて、訓子の迷惑にならないように距離を置いていたのに、逆に、それが、訓子を傷つけたのかも知れない。もしわたしが、もっとふつうに訓子と付きあっていたら、もしかしたら、こんなことには、ならなかったかも知れない」

麻子さんの目から静かに涙が湧《わ》きだして、それが一粒ずつ、金色に光りながら膝に落ちていった。ぼくは指の先で、その涙を拭きとった。

麻子さんが無理やり、少し笑った。肩が触れて、二人してはっとなって、あとはそのまま五分ぐらい、黙って目の前のコンクリートを眺めていた。プールのコンクリートなんて一人で眺めても、面白いものではないはずだった。

どこからか言葉を見つけてきて、ぼくが言った。

「酒井がこんなによく泣くやつだなんて、思わなかったな」

「どんなふうに思ってた?」

「派手好きで、いつもお伴《とも》を連れていて、気の強そうな生意気なやつだと思ってた」

「わたしは戸川くんのこと、クラスのみんなとは口もきかないし、傲慢でいや味な人だと思ってたわ」

「当ってるさ」

「戸川くんは、どうして友達をつくらないの」

「喋るのが、たぶん、面倒なんだろう」

「どうして」

「喋ってもけっきょくは、なにも通じない気がする」

「懐疑論者みたい」

「そういうことじゃなくて、ただ人間ていうのは、へんに憎みあったり、へんに愛しあったり、へんに喜んだりへんに悲しんだり、そういうことをしなくても、生きていけるような気がする……うまく説明できないけど」

「そういうのを懐疑論者っていうの。それともただの自分勝手とか」

「昨日新宿で会ったとき、酒井が『みんな本当はちゃんと気を使っていて、それでもけっこう気楽そうにやってるんだ』と言ったろう。あの言葉を聞いて反省した。ああ、そうかも知れないなって。この酒井麻子でさえ分っていることを、おれは考えたこともなかったなって」

「『この酒井麻子でさえ』っていうの、なんか、へんね」

「本当を言うとおれは、岩沢のことなんか、気にもしていなかった。個性のないつまらないやつだな、ぐらいにしか思っていなかった。こういうことがなければ、あとになって思い出すこともなかったかも知れない。だけど二日間君と一緒に彼女の跡を追ってるうち、岩沢には岩沢の人生があったことに気がついた。当り前のことだけど、その当り前のことを、つい忘れていた。生まれつき傲慢にできてるんだろう」

麻子さんが肘《ひじ》でぼくの腕をついて、それから、くすっと笑った。久しぶりに本音で喋ると、自分が奇妙に、子供になったような気分になる。

「中学のとき君が知ってた岩沢訓子は、どういう子だった?」

「頼りがいがあって、優しくて、どっちかといえば向こうのほうが姉貴分みたいな感じ」

「イメージがちがうな」

「成績もよかったし、学級委員もやっていたし、男の子にも人気があった」

「その岩沢が高校へ入ったとたん、目立たないふつうの女の子になってしまった。彼女のせいではなく、深大寺学園ではまわりが、みんな派手だからだ。その割りにはみんな勉強もできるし、君は自立してしまうし……あの学校にはそういう女の子が、どれぐらいいるんだろう。ほとんどの子がそうかも知れないけど、だいたいは無自覚に解決している。でも岩沢はそうじゃなかった。無自覚ではなかったし、解決もできなかった」

「さっき寛子の話を聞いて、わたしも訓子になにかがあったことは、間違いないと思う」

「男のことか」

「それもあるけど。寛子が訓子にチョコレートパフェをおごってもらった、と言ったでしょう？　そういうことってあり得ないの。訓子が吝嗇《けち》だったとか、お金がなかったとか、そういうことじゃないの。いくら自分が誘ったからって、女の子同士で喫茶店に入ってどちらかがおごるなんてこと、あり得ないのよ。女の子って十円の貸し借りでも手帳につけておいて、ぜったいに忘れないの」

「覚えておこう」

「だから訓子の場合はそのとき、特別な事情があったんだと思うわ」

「たとえば？」

「もちろん男の人のこと。寛子が自分のことを嬉しそうに喋るのを聞けば、訓子だって当然喋りたくなる。中学のときは訓子のほうがずっと男の子に人気があったしね。だけどなにか事情があって、喋ることができない。それに訓子が学校のことで無理をしていたのを知っているのは寛子だけだから、無意識のうちに、今はお金に困っていないことを寛子に伝えようとした。見栄っていえば見栄だけど、訓子にしてみればぎりぎりの、見栄だったんじゃないのかな」

「そして現実に、岩沢は金を持っていた」

「たぶんね」

「つまり家の人以外に、誰か岩沢に小遣いを渡すような人間がいた、それは……手帳はどうしたんだろう」

「手帳？」

「今君が言った手帳さ。女の子ってああいうのが好きなんだろう？　漫画かなにか描いてあるやつ。手帳とかアドレス帳とか、たいていの女の子は持ってる」

「観察してるじゃないの」

「岩沢だって持っていた、たぶんな。その手帳を見れば、あんな遺書なんかより詳しいことが分るかも知れない。アドレス帳があれば付きあっていた人間の名前も分る。探偵としては基本的なことを、忘れていた」

「助手にしては優秀よ」

「推理は君のほうが上さ。チョコレートパフェの推理なんか、怖いくらいだ」

「お通夜に行ってみる？」

「手がかりを求めて、な」

「それにわたし、やっぱり訓子に会っておきたい。村岡先生はわたしが、邪魔みたいだけど」

それからぼくたちはもう一度プールに入って、三十分ほど泳ぎ、あとは日が翳《かげ》るまでコンクリートの上に寝そべっていた。麻子さんはほんの少しだけ眠ったようだった。ぼくと同じに、昨夜はよく眠れなかったのだろう。

岩沢訓子の家に着いたのは、完全に暗くなるにはまだ少し間があるという、夕方のあいまいな時間だった。

家の前の様子は昨日とちがって、門と玄関の間から直接庭へまわるように白黒の幕が渡され、ブロック塀にも葬儀用の花輪が三本立てかけられていた。ぼくらはバイクをとなりの家の前に置き、幕が渡されているとおり、玄関からではなく直接その狭い庭に入っていった。

集まっていたのは、ぜんぶで十五人ぐらいだった。昨日ぼくらが通された部屋と、それにつづく庭に面した部屋のガラス戸がとり払われ、集まった人たちはその二つの部屋に分かれて座っていた。居間だった部屋には岩沢訓子がセーラー服で映っている写真が飾られた祭壇と、その下に花束で囲まれた、白い棺桶《かんおけ》が置かれていた。岩沢訓子の遺体はもう棺桶に納まっていた。水死という死に方が、そのまま人目には晒《さら》せない状態にしたのだろう。

ぼくらに気がついて部屋からとび出してきたのは、雨宮君枝だった。背はあまり高くなかったが、短く刈りこんだ髪や目の動きに好奇心の強い少年のような雰囲気があって、それなりに魅力のある女の子だった。

「明日のお葬式には試合があって、行けないの」と、庭のすみのぼくらのところまでやって来て、雨宮君枝が言った。「いったいどういうことになってるの?」

「それを君枝に訊こうと思って、昨夜電話したのよ」と、麻子さんが言った。

「さっき訓子の姉さんにも訊いたけど、自殺の理由を教えてくれないの」

「知らないのかも知れない」

「そんなことないわよ」

「どうして?」

「だって、言葉を濁すみたいな感じだった」

岩沢訓子の家族は、岩沢訓子の自殺は妊娠が理由だったと思いこんで、それを他人に知られまいとしているのだ。これが本当に自殺で、そしてその理由が本当に妊娠にあるのだとしたら、家族が隠したがる気持ちも分る。

「麻子は、なにか知ってるんでしょう?」と、妹を叱《しか》りつけるような口調で、雨宮君枝が言った。

言いよどんでぼくの顔に向けた麻子さんの視線を、雨宮君枝は見逃さなかった。

「戸川くんよね」

「うん」

「なにを知ってるの」

「なにも」

「嘘を言わないでよ」

「嘘じゃないさ」

「それならどうして戸川くんと麻子が、一緒にいるの」

「今、そこで、会った」

「二人とも髪が濡《ぬ》れてるじゃない」

「百メートル手前までは夕立ちだった」

「どうしても教えないつもり？」

「教えない」

「なぜ？」

「はっきりしたことは分らないから。あいまいなことで岩沢の人格を傷つけるわけには、いかない」

「人格？」

「そう」

雨宮君枝が深呼吸をしながらぼくの顔を見つめ、それから白い歯を見せて、にやっと笑った。

「いいわ、あんたたちに任せる。どっちみちわたしは練習で忙しいもの」

「やっぱり訓子のこと、なにか思い出さない？」と、麻子さんが訊いた。

「そうなのよね」と、雨宮君枝が麻子さんをふり返った。「昨夜麻子から電話があったあと、考えてみたんだけど、クラスで特別に親しかった子も思い当らない。訓子ね、なんていうのかな、高校に入ったら急に霞んじゃった感じ。そういう子、意外と多いけどね」

雨宮君枝の注意をひいてから、ぼくが訊いた。

「あそこにいるの、理事長だろう？」

「そうらしいわね」

「学園の理事長がわざわざ生徒の通夜になんか、来るのかな」

「都議会議員だもの。ああいう連中って、どこかの家で猫が子供を産んでも顔を出すわよ」

「となりの風見《かざみ》先生は？」

「一年のときわたしたちの担任だった。どうして？」

「学年主任でもないし、ただの体育教師なのに」

「あいつは学校中の女生徒が、ぜんぶ自分のファンだと思ってるのよ。ばかじゃないかしら」

「ファンの子だっているだろう」

「好みはそれぞれね」

「岩沢は、どうだったのかな」

「なにが」

「風見先生のファンだったのかな」

「どうかしら。やけを起こしてたら、チョコレートぐらいはプレゼントしたかもね。訓子はやけを起こすタイプでは、なかった気はするけど」

ぼくはうなずいてから、もう一度、棺桶の置いてあるほうとは別の部屋に首をのばしてみた。村岡先生以外、知っている人間は一人もいなかった。

「だけど麻子……」と、麻子さんのほうに身を寄せるようにして、雨宮君枝が言った。「あんたたち、いつからそうなのよ。よく今まで噂《うわさ》にならなかったわね」

「君枝が言いふらさなければ、これからだって噂にはならないわ」と、片方の頰《ほほ》だけで笑って、麻子さんが答えた。

「それじゃ駄目だ。わたし今、減量中でね、こういうニュースを喋らないと、いらいらしてくるの。明日にはぜったい町じゅうに広まるわ」

育ちのいい猫みたいな目で、ぼくと麻子さんに一度ずつウインクをしてから、ふと雨宮君枝がため息をついた。

「もう少し訓子のそばにいてやりたいけど、わたし帰るわ。今日だって五時まで練習で、本当は立ってるだけでやっとなの」

「はっきりしたことが分ったら、連絡する」

「お願いね。中学のときはあんなに仲がよかったんだし、やっぱり気になるもの」

一度だけ棺桶のある部屋をふり返って、あとはぼくらに「じゃあ」と言っただけで、雨宮君枝はまっすぐ門のほうへ歩いていった。そのうしろ姿が一瞬に消えたかと思うほど、日は完全に暮れきっていた。

ぼくは麻子さんに目くばせをして歩きだし、近寄ってきた岩沢訓子の姉さんに挨拶をして、棺桶の置いてある部屋にあがりこんだ。部屋にいたのは岩沢訓子の父親らしい男の人と、弟らしい中学生ぐらいの男の子と、それに親戚かなにかの女の人が二人と、その四人だけだった。あとの人はとなりの部屋で、酒やビールを飲みながら声をひそめて話をしていた。

ぼくと麻子さんはつづけて線香に火をつけ、手を合わせてから、少し蓋《ふた》の開いている棺桶に近寄って、同時に中をのぞきこんだ。岩沢訓子は鼻の下まで、すっぽり白い布をかけられていた。外に出ているのは目と、鼻のまわりのほんのわずかな部分だけだった。柄にもない怒りみたいなものが、不意にぼくの背中を這《は》いあがって、頭の中でぱちんと音をたてた。

麻子さんが声を出さずに、棺桶の端に手をかけて、ひっそりと泣きはじめた。ぼくはその場を離れ、縁側のところへ戻って、そこに腰をおろした。岩沢訓子の姉さんがコップに入れた麦茶を持ってきてくれた。その姉さんと入れかわりに、となりの部屋から村岡先生がやって来た。村岡先生はぼくと並んで庭のほうを向き、少し離れた場所に腰をおろした。

「昨夜の七時ごろ、警察から遺体が戻されたそうよ」と、ハンカチで涙だか汗だかをおさえながら、村岡先生が言った。

「なにか分りましたか」と、ぼくが訊いた。

「検死解剖で自殺と断定されたらしいの。ご家族の方がそうおっしゃっていたわ」

「クラスの連中には？」

「連絡しました。でも校長先生とご家族の方と相談して、お葬式はやっぱり内輪だけで、ということになったの。クラスからは森くんと西岡さんに出席してもらいます。みんなには、岩沢さんと親しかった人だけ来るように、と言っておいたわ」

「誰も来ないだろうな」

「どうして」

「そんな気がしただけ」

「戸川くんはどうなの？　あなたが岩沢さんと特別に親しかったとは、思えないけど」

「ぼくはただのおつれです」

「酒井さんの」

「はい」

「酒井さんは岩沢さんと親しかったの」

「中学まで親友だったそうです」

「そうなの」

「知らなかったんですか」

「教師だってそこまで目は届かないわ。本当はそれぐらい、知らなくてはいけなかったんでしょうね」

「先生の責任では、ありません」

「そう思いたいけど、なかなかね」

「問題が？」

「学校というところは大変なの。戸川くんに愚痴《ぐち》を言っても、仕方ないけど」

「岩沢はなにか、先生に相談しませんでしたか」

「どうして」

「親に言えなければ友達、友達に言えなければ先生」

「なにか知っているの」

「いいえ」

「知ってるんでしょう？」

「ぼくはただのおつれです」

「あなたのお父様は警察官だったわよね。今度の事件のこと、なにか聞いてるんでしょう」

「家で仕事のことは言いません」

「なにか分ったら先生に連絡してくれる？　教え子が自殺して、担任の教師がその理由に心当りもないなんていうと、職員会議でつるしあげられるわ。緊急の理事会も開かれるというし……生徒から見ると、わたしはやっぱり、頼りない教師なんでしょうね」

村岡先生のうすい唇が、ちょっと歪《ゆが》んで、首が前のほうに力なく折れ曲がった。庭につけられた臨時の照明灯が陰影の大きい村岡先生の顔を、青白く浮きあがらせた。いつも学校で見せる、いくらか生徒を見下したような表情とは、はっきりとちがっていた。村岡先生が初めて見せた弱さのようなものが、不思議にぼくの胸をつまらせた。今となりで肩を落としている村岡先生を、女として意識している自分に、ぼくはふとうしろめたさを感じた。こんなきれいな女の人がなぜ、教師なんかやっているのだろう。

「葬式は明日ですか」と、わざとぶっきらぼうな声を出して、ぼくが訊いた。

「ええ」と、顔をあげ、星でも探すような目で、村岡先生が答えた。「府中市の葬儀場で午後の一時から……暑くなるわね。戸川くんも来る？」

「探偵長次第です」

た。

「こっちの話」

「なんのこと」

そのとき探偵長が奥からやって来て、いやな目で、ちらっとぼくと村岡先生の顔を見くらべた。

「戸川くん、ビールを飲みに行こうよ」

呆気にとられて、ぼくが顔をあげたときには、麻子さんはもう庭を横切って門のほうへ歩きだしていた。ぼくもあわててスニーカーに足をつっ込み、いい加減に紐《ひも》を結んで、麻子さんのあとを追いはじめた。うしろでは村岡先生がハンカチで口をおさえて、やはり呆気にとられたのか、黙ってぼくらを見送っていた。

それからしばらく、なんのつもりでか、麻子さんは口をきかなかった。勝手にバイクに跨がり、勝手にエンジンを吹かして、住宅街の路地を曲乗りのようなスピードで繁華街へ疾走していった。駅の近くの踏切りで一時停止するまで、ぼくのバイクは三十メートルと麻子さんに近づけなかった。

踏切りを越え、シャッターのおりた銀行の前でバイクをとめたときも、やはり麻子さんは口の鍵《かぎ》を開けようとしなかった。

ぼくはバイクに跨がったままエンジンをとめないで、勝手に歩いていく麻子さんのうしろ姿をぼんやりと眺めていた。ヒステリーなのは分っていたが、一日に二回もそんな病気を起こされると、ぼくは困ってしまう。

麻子さんがひょいと路地に消え、ぼくが迷ったまま待っていると、しばらくしてまたひょいと姿をあらわした。玩具《おもちゃ》をねだる子供が親を無理やりデパートへひっぱって行こうとしている、そんな顔だった。

ぼくは仕方なくバイクをおり、エンジンのキーを抜いて、麻子さんの立っているところまで歩いていった。麻子さんはぼくより五メートルほど先でからだの向きをかえ、路地を歩いて、ピンク色のよごれた電気看板の出ている地下の店へ、どんどん階段をおりていった。ぼくがついていったのはただの好奇心と、麻子さんのヒステリーに恐縮してのことだった。

中へ入って驚いたのは、まずその雰囲気だった。フロアは外から受ける印象よりも広かったが、店のあちこちの壁にピンボールやドライブマシーンのゲーム機が押しつけられ、煙草の煙の充満する中に六〇年代のロックンロールが、がんがんと響いていた。たむろしている連中の風体もこのくそ暑いのに黒い革ジャンを着ていたり、髪を黄色とピンク色に染めて黒メガネをかけていたり、生きているだけで犯罪にならないのか、と心配になるほどだった。そいつらがまた、入っていったぼくと麻子さんを店のあちこちから、じろりじろりと値ぶみしてくるのだ。ぼくが考えたのはたった一つ、今日このまま無事に家へ帰れるだろうかという、それだけだった。

麻子さんが顎を前につき出すような感じでカウンターへ歩き、口を結んだまま、椅子に腰をおろした。ぼくも神経に蓋をして、思いきってそのとおりにした。幸いそこまでは誰も襲ってこなかった。

「オレンジジュース」と、低い声で、麻子さんがカウンターの内に注文した。

「ビールじゃなかったのか」

麻子さんがぼくの質問を無視し、仕方なく、ぼくもオレンジジュースを注文した。

「村岡先生となにを話していたのよ」

「え?」

「親しそうに話してたじゃない」

「明日の葬式のことさ」

「お葬式のことを話すのに、戸川くんはいちいち、ああいう目をするわけ?」

「ああいう、どういう目さ」

「二人して見つめあって、結婚式の相談でもしてるみたいな」

「君は岩沢の顔を見て、気が立ってる」

「それじゃ戸川くんは、村岡先生のことを、なんとも思わないの」

「なんとも思わないさ」

「きれいだとも思わないの」

「きれいだとは、思うさ」

「やっぱり思ってるじゃないのよ」

それは完全に言いがかりだったが、言いがかりをつけるほうはそうと思っていないらしいから、つけられた側としては、対処の仕様がない。

「学校へ行けば毎日三人ぐらいはきれいだと思うし、町を歩けば五人ぐらいはきれいだと思うし、テレビを観れば一時間に十人ぐらいはきれいだと思う。でもそのたびにいちいち謝ってたら、おれは一生米つきバッタみたいに、頭を下げつづけることになる」

麻子さんが返事をしないで、いつまでも棚の酒ビンを睨んでいるつもりらしかったので、うんざりして、ぼくは腰をあげた。

麻子さんが座ったまま、腕だけのばしてきて、ぼくのシャツをひっぱった。

「ごめん」と、椅子にかけなおしたぼくに、麻子さんが言った。「自分がへんなことを言ってるのは、分ってる。わたしね、明日あたりたぶん、あれなんだと思うの」

「あれ？」

「女の子に毎月くる、あれ」

「ああ、あれか」

「あれが始まる前になると、へんにいらいらしたり、へんに陽気になったりへんに憂うつになったり。分ってるんだけど、おさえられないの。だから今のことは無かったことにするわ」

オレンジジュースが来て、なぜかぼくたちは、ちょっと乾杯した。理屈では知っているが、女の子のあれというのは、面倒なものだ。

冷たいグラスの感触で麻子さんが落ちついたようだったので、ぼくが話を元に戻した。

「岩沢が持ってたかも知れない手帳のこと、誰かに訊いてみたか」

「それが、ないんですって」

「アドレス帳は？」

「家の人も探してみたけど、見つからないらしい」

「アドレス帳もないというのは、ちょっと……」

「川に流されたんじゃないかって、そう言ってたけど」

「学生証は残っていた」

「やっぱり、おかしい？」

「まるで岩沢は自分の足跡を、消して歩いていたみたいだ。彼女が自分でやったのでないとすると……」

麻子さんの肩がぴくっと震えて、ポニーテールの頭がぼくの顎に押しつけられた。

「殺された？」

「君だってそう思ってる」

「だけどはっきり言葉にすると、なんだか、怖い」

「親父の尻《しり》をひっぱたくにしても、証拠はない」

「わたしが見つける」

「男、か？」

「とりあえずは、そうね」

「君は理事長のことを、なにか知ってるか」

「理事長？」

「さっきの通夜に来ていた」

「三鷹《みたか》で三枝《さえぐさ》建設という建設会社をやってるわ」

「どんな会社？」

「大手とまではいかないけど、かなり大きいと思う。うちも下請けに入ってる」

「花輪が三本来ていた。一本はたぶん岩沢の親父さん関係からだ。あとの二本は一本がうちの学校から、もう一本は三枝建設だった。理事長が個人的に岩沢を知ってたとは、思えないけど」

「君枝が言ったとおり、都議会議員だからじゃないの。仕事はかなり強引だという噂よ」

「強引って」

「知らないけど、うちの誰かが言ってた気がする。理事長がなにか関係してると思う？」

「念のためさ。男はみんな疑ってみよう。風見先生は女子の間で、どんな評判がある？」

「のぼせてる子は多いと思う」

「酒井は？」

「わたしは、戸川くんが村岡先生を見るような目では、見ないわ」

ぼくはオレンジジュースのグラスを口に運びながら、肩をすくめて、一つ咳ばらいをした。またあれの影響がでてこないうちに、話を事件にひき戻そう。

「風見先生が女子生徒に手を出したとかっていう噂は、ないかな」

「聞かないみたいね。ちょっと前に一度、村岡先生と噂にはなったけど」

「村岡先生と、か」

「ただの噂に決まってる」

「どうして」

「たしかに風見先生はハンサムで、スポーツマンで女の子に優しいけど、村岡先生とはつりあわない。男と女には格みたいなものがあるのよ。村岡先生のほうが相手にしないと思う」

「常識的に考えて、一年のときに受けもった生徒が二年になって死んだとき、教師がその生徒の通夜に来るものかな」

「さあ」

「岩沢が妊娠四カ月だったということは、一年の終りごろにはもうそう、い、う、こ、と、があったわけだ。村岡先生には相談しなくても、風見先生にはしていたかも知れない」

「風見先生がなにか、知ってると?」

「可能性の問題さ」

「だけど女の子って、そういうことを男の先生に、相談するかしら」

「酒井だったら?」

「わたしなら誰にも相談なんかしない。それぐらい自分でなんとかしちゃうわ」

「可愛くないな」

「今は誰もそんなこと、ぐずぐず言わないわよ。訓子だって……」

麻子さんがジュースを口に含み、ゆっくり咽をしめらせてから、唇を尖《とが》らせて小さく舌打ちをした。

「いったい訓子、なにをしてたのかしら。どうしてこんなになにも分らないの？　わたしと戸川くんだって二日一緒にいただけで、夏休みが終るころにはもう学校じゅうで噂になってる。たとえなにもなくてもよ、だって、ねえ、なにもないじゃない？　だけど噂ってそういうものなの。訓子みたいにまるっきりないっていうの、かえって不自然だと思うわ」

麻子さんがカウンターに片肘をかけ、からだを大きくひねって、耳を澄ますような顔で店の中を眺めはじめた。古いロックの音は相変わらず、その中にゲーム機のがちゃがちゃいう音が不謹慎にまじっている。

ふと麻子さんが立ちあがり、ポニーテールを横にかたむけながら、ゲーム機の奥にたむろしている五、六人のグループのほうへ、すたすたと歩きだした。ぼくは一瞬呆然としたが、それでも男のプライドで、あわてて麻子さんのあとを追いかけた。

麻子さんを連れ戻そうと思ったときは、もう遅かった。

「あんたたちに訊きたいことがあるの」と、サングラスやらリーゼントやらの男たちを見おろして、麻子さんが言った。

男たちが仲間同士で顔を見あわせ、次の瞬間にはなにが面白かったのか、その五、六人が一斉に下品な笑い声をあげはじめた。

「このお嬢さん、俺たちに今夜暇かって訊くつもりだぜ」と、グリスをべったりなすって鼻の下に髭《ひげ》をはやした男が、笑いながら仲間の顔を見まわした。やわらかいゼリーをぐちゃっと捻《ひね》りつぶすような、不気味な口調だった。

「俺たちの誰とやりてんだい？　恥ずかしがらずに言っちまいな」と、髪を金色に染めた太った男が、煙草をくわえた歯を、にっとむき出した。

「それとも全員でお相手するとかな」

男たちがまた一斉に哄笑《こうしょう》したが、麻子さんは怯《ひる》みも、泣きもしなかった。

最初の口髭の男に、また麻子さんが言った。

「あんた、この辺の暴走族《ゾク》の親分《あたま》でしょう？　名前は知らないけど」

「おい、俺たちのことをゾクだとよ。そんなに有名なのかい」

「ただのバカっていう意見もあるわね」

「インネンつけてるぜ。え？　こいつぁたまげた」

「あんたと冗談を言いに来たわけじゃないの。訊きたいことがあるだけ」

「偉そうな口きくじゃねえか。本当に一発かわいがってやってもいいんだぜ。そっちの坊やと一緒によう」

「彼は調布署の戸川刑事の息子、わたしは酒井組の酒井麻子よ」

男たちのにやにや笑いが黒板拭きで消されたように、ぴたりととまり、レコードの音までがその瞬間、宙に浮いたままどこかで凍りついたようだった。もちろん男たちを恐れ入らせたのは、調布署ではなく、酒井組だった。

「訊いてもいい？」と、氷を熱湯で解かすような声で、麻子さんが言った。

髭の男がうなずき、他の仲間にも、おとなしくしろというように目で合図をした。

「深大寺学園の女の子で、遊んでる子の心あたりはない？」

「心あたりって言ってもなあ。俺たち、あそこのお嬢さん方とは、お付きあいいただいてねえしなあ」

「遊んでる子が一人もいないわけ、ないでしょう」

「そりゃあ、なあ？」

「青木知子《あおきともこ》とか深沢宏江《ふかざわひろえ》とか、そんなとこかな」

「三年の？」

「ああ。あと二年で、なんて言ったかな」

「鈴木三枝子《すずきみえこ》」

「そう、そんなところじゃねえかな」

「岩沢訓子という名前、聞いたことない？」と、また麻子さんが訊いた。

「岩沢訓子、なあ」

髭の男が全員を見まわし、首をひねって、ぼくと麻子さんに向きなおった。

「聞いたことねえけど……」

「その子、もしかして、髪が長くて目の下にほくろのある子じゃねえかい？」と、中では一番まともな感じの、パンチパーマをかけた男が言った。

思わず、ぼくと麻子さんは顔を見あわせた。

「知ってるんですか」と、ぼくが訊いた。

「知ってるっていや知ってるんだけどよう。べつにあの子、遊んでるって感じでもなかったしなあ」

「どこかで見かけたとか」

「それがよう、新宿のピンク・キャットで五、六回会っただけなんだけどよう」

自分で行ったことはなかったが、それが歌舞伎町にあるディスコだということぐらいは、ぼくにも分っていた。

「去年の秋ぐれえからかな、よく見かけるようになってよう。俺が声かけてやってさあ、そいで一緒に踊ったり、ビールなんかおごってやったりしてよう。訊いたら深大寺学園で府中に住んでるっつうんじゃねえの。そいでちょっと話なんか合ったりしちゃったわけ。だけどよう、この辺で遊んでるっつう話は、聞かねえよなあ」

「去年の秋から五、六回ですか」

「ああ。だけどそれは俺が会っただけの回数だからよ。あの子たちがどれぐれえ通ってたかは知らねえよ」

「あの子たちって」

「いつもう一人の女の子と一緒だったからよう」

「その子も、深大寺学園の子?」

「そう言ってたぜ」

「名前は分りますか」

「新井《あらい》……じゃなかったかな」

もう一度ぼくと麻子さんは顔を見あわせ、そして今度は麻子さんのほうが、質問者になった。

「新井、なんていうの」

「なんつったかなあ。なんか平凡な名前だったと思うぜ」

「髪の毛の色がちょっとうすくて、鼻の頭にそばかすのある子？」

「そう、その子」

「新井恵子《けいこ》じゃない？」

「恵子だ、そうだ、新井恵子っつう子だ。その子といつも一緒だった。それで話が合ってよ、今夜はどっちかとしけこめるかなって思ってると、いつも九時ぐれえんなると二人して帰っちまうんだ。まるで堅いんでやんのよう」

「一番最近会ったのは、いつごろ」

「もうけっこう前だぜ。五月か六月か、そのへんかな」

「そのときなにか話していなかった？　困ったことがあるようなこと」

「俺たちゃべつに、ディスコへ人生相談しに行くわけじゃねえからな」

「男の人と一緒だったことは、ない？」

「いつも二人だけさ。そりゃ店でナンパぐれえはされたろうけどよ。ナンパされたって九時には帰っちまうんだ。深大寺学園のお嬢さんなんての、なに考えてるんだか分ったもんじゃねえよ」

緊張していた神経に酸素が補充されて、ぼくは思わず、ふーっとため息をついた。消えていると思っていた足跡も探す場所さえ間違わなければ、こうやってちゃんと、見つかるものなのだ。

「それでその岩沢なんとかって子、どうかしたのかい」と、髭の男が麻子さんに訊いた。

「死んだの」

「へええ、事故かなにか」

「自殺。一応ね、警察ではそう思ってるらしい」

「警察なんてあてにならねえものなあ。あんたらは自殺じゃねえと思ってるんだろ?」

「そんなところ。またなにか分ったら連絡してくれる? うちの若いもんに言ってくれてもいいし、直接わたしに言ってくれてもいいわ。家は知っているでしょう」

全員が同時に、一本の糸でひっぱられたように、こっくんとうなずいた。一応日本語は通じたものの、あらためて眺めてみても不気味な連中であることには、変わりなかった。

「ありがとう、助かったわ」と、それだけ言い、やって来たときと同じように麻子さんがまた、すたすたとカウンターへ歩きだした。

ぼくはぽかんとしているその連中におじぎをし、麻子さんのあとを追ってカウンターに戻った。気がつくと、けっこう冷房はきいているというのに、ぼくはどっぷりと汗をかいていた。

麻子さんと付きあっているかぎり、今みたいにからだによくないことも、なん度かは経験するのだろう。

「君が探偵長で正解だった」と、コップに残っていたジュースを飲みほしてから、ぼくが言った。

「訓子が、ピンク・キャットにねえ」と、両方の腕を頰杖にして、麻子さんが呟いた。

「それ自体はどうってこともない」

「そりゃあ、それ自体はね」

「ディスコぐらいは誰だって行く」

「これがわたしなら誰も驚かない。九時には帰るなんていったら、逆に褒められるわ」

「おれはそっちのほうがいやだな」

「どっち?」

「決まって九時には帰る、というほう」

「訓子らしい気はするけど」

「でもそのせいで、岩沢が遊んでることに誰も気づかなかった。真面目だったとか節度があったとか、たぶんそうかも知れないけど、逆にもっと大きいなにかを、隠そうとしていたような気がする」

「もっと大きい、なに?」

「さあな」

「だいいち訓子と新井さんがそんな関係だったこと、信じられる?」

「さあ」

「注意して見てたわけじゃないけど、あの二人は席だって離れてる。教室で一緒のところを見たこともない。女の子って意外にそういうところは細かいの。誰と誰が親しいとか、誰と誰が仲が悪いとか。訓子と新井さんがそういう関係なら、一緒のクラスにいてわたしが気づかなかったはずは、ないと思う」

「今の男が、嘘を?」

「嘘を言えるような頭じゃないわよ」

「だけど酒井の勘は、すごいな」

「ただの思いつきよ。クラスや学校になにも無いとしたら、そこからちょっと離れたところは、どうかなって」

「それでまたクラスに戻ってきた。新井の名前が出てきたというのは、もしかしたら……それに名前の出方が、ちょっと、普通じゃない」

「電話してみようか」

「誰に?」

「新井さんに」

「そんなことをしたら警戒される。一度警戒されたらもう、穴から出てこなくなる。相手はおれたちが考えているより、用心深いやつだ」

「相手って、新井さん?」

「それだけでは、ないだろうな」

「新井さん以外の、誰よ」

「それを探すんだろう。村岡先生はクラスのみんなに連絡をした。新井も明日の葬式には来るだろうし、まず彼女の顔を見てからだ。君の言ったことは正しかった。『訓子の相手は、わたしたちが探そうと思えば探せる範囲の人間だ』って。おれはそれを『犯人は』と、置きかえていいと思う」

麻子さんがまた例の、頬をふくらませる感じで、じっとぼくの顔をのぞきこんだ。ぼくらは秘密を分けあった者同士の合図のように、目だけでうなずきあった。夏休みの宿題にしてはこの探偵ごっこも、骨の折れる仕事になる。

「戸川くん、お腹すかない?」と、煙草の煙に顔をしかめて、麻子さんが訊いた。

「すいた」と、ぼくが答えた。

「なにか食べに行こうよ。最初はこの店でビールを飲んでやろうと思ったけど、気が変わった。やっぱりここ、戸川くんの雰囲気じゃないものね」

ぼくは親父のことがちょっと気になったが、まあ子供でもないし、夕飯ぐらいはなんとかするだろうと思って、麻子さんに付きあうことにした。手帳につけられたらかなわないので、店の勘定はぼくが払った。外はまだむし暑く、それでも空気は店の中より気持ちよかった。さっきの連中はあと一時間もすれば、肺が腐って、間違いなく死んでしまう。

ぼくらは肩を並べて路地を戻り、今度は大通りを駅側へ渡って、いくらか人通りのある路地の小さい鮨屋《すしや》に入っていった。この界隈《かいわい》は麻子さんの縄張りということで、もちろんぼくに相談はなかった。それにどういう理由で鮨屋がぼくの雰囲気なのか、そのへんの根拠も説明してくれなかった。ぼくとしては、あれの近い女の子には逆らうまいと、ただ心に誓っていただけのことだった。

その店はカウンターにテーブルが二つだけの、狭くて適当に明るくて、いかにもうまそうな店だった。テーブルの一つで三人の男がビールを飲んでいるだけで、あとはカウンターの奥で単《ひとえ》の印ばんてんを着た年寄りが一人、目を閉じて頬杖をついていた。

麻子さんはカウンターの内に「やあ」とかなんとか声をかけ、店の中をちょっと見まわしてから、小さく唸って奥の年寄りのところまで歩いていった。年寄りが麻子さんの気配で顔をあげたが、その目は酔っぱらっているのか、耄碌《もうろく》しているのか、焦点は定まっていなかった。

「いつから飲んでるの」と、その年寄りにではなく、カウンターの内の主人らしい五十ぐらいの男の人に、麻子さんが訊いた。

「まだ二時間ぐらいかね。秀《ひで》さんも弱くなったもんさ」と、苦笑いみたいな笑い方をして、主人らしい男の人が答えた。

麻子さんは秀さんと呼ばれた年寄りのとなりに腰をおろし、ぼくには目で、自分のとなりに座れと命令した。

あがりとおしぼりが出てきたあと、注文したねたをガラスケースの中で選びながら、男の人が麻子さんに言った。

「麻子ちゃんが彼氏と一緒だなんて、初めてじゃなかったかねえ」

「彼氏なんかじゃないの」と、ぼくのほうは見ずに、頬をふくらませて、麻子さんが答えた。

「怒られるわよ。ちゃんとした素人《カタギ》の家の子なんだから」

「今どきそんなこと気にするやつがいるもんかね、ねえ?」

その「ねえ?」はぼくに向けられたものだったが、ぼくに答えようはなく、下を向いて、黙っておしぼりを使っていた。

「そんなことつべこべ言うやつは、麻子ちゃんのほうでふっちまえばいいんだよ」

「そんな男とは最初から付きあわないもの」

「てえことは、やっぱり彼氏だってことだ。こうしてちゃんと付きあってるわけだから」

どうもぼくは自分が玩具にされているような気がしたが、とにかくここは麻子さんの縄張りなわけで、クレームをつけても仕方ない。

「おじちゃん、ビールちょうだいよ」

「いいのかい?」

「わたしは顔に出ないもの」

「親方に見つかったら殺されちまうよ」

「親父は手を出さないわ、口はうるさいけど」

「そうじゃなくて、こっちが殺されちまうって意味さ」

それでも主人らしい人は苦笑いをしながら、店の女の人にビールを持ってくるように言い、運ばれてきたビールをぼくらはお互いのコップに注ぎあって、ひっそりと飲みはじめた。プールで汗をしぼったからだに冷たいビールが、気持ちいいほど素直に吸いこまれていく。どうせ親父に似てぼくも、酒のみになる。

「お葬式のこと、聞いたでしょう」と、出てきた鮨に手をのばしながら、麻子さんが言った。

「府中の葬儀場で、一時」と、ぼくが答えた。

「行くわよね」

「どんな連中が来るか、顔を見たい」

「さっき手帳のことを訊いたときにね、訓子のお姉さんに念をおされたの。妊娠のことは誰にも言わないようにって。わたしが知っていたんで、びっくりしていたわ」

「村岡先生にも言ってないのかな」

「たぶん、そうじゃないかしら」

「いつまで隠しておけるか……」

「戸川くん、もしかしてよ、訓子の家族がこのことは忘れたいと思ってるとしたら、どうする？　たとえばわたしたちが訓子の相手だった男とか、犯人とかを探しあてたとする。でもそのことは逆に、訓子が隠そうとしていたことが分ってしまうことになる。今まで考えてもみなかったけど、今ふと思ったの。訓子の家族は、それを知りたがるかどうかって」

ぼくも正直、そこまで考えてはいなかった。親父のように商売なら、死んだ本人や残った家族の思惑に関係なく、犯人をつきとめるまで機械的に捜査をすればいい。それが正義なのだろうし、秩序でもある。ただぼくたちの場合は客観的にいって、ただの趣味でしかない。岩沢訓子がそうまでして隠そうとしていた秘密を、ぼくたちにあばきたてる権利が、あるものなのか。

「また反省してしまった」と、ビールを飲みほして、ぼくが言った。「おれは今度のことを、少しゲーム的に考えていた。ゲームじゃ人間は死ななかった」

「わたし、今晩ゆっくり考えてみる。また寝られないかも知れないけど」

「おれは君の命令に従うだけだ。探偵事務所を開いたのは酒井だし」

「でもとりあえず、捜査は続行中よ」

「とりあえず、な」

「わたし、君枝に電話してくるわ。もしかしたら新井さん、一年のときも訓子と同級だったかも知れない」

麻子さんが席を立ち、尻ポケットに手をつっ込みながら、入り口の近くにある電話のほうへ歩いていった。ぼくは手もちぶさたになって、麻子さんのいなくなった席の向こう側の、秀さんと呼ばれた年寄りを眺めてみた。一見七十ぐらいに見えたが、本当はそれよりも十以上は若いのかも知れなかった。脂気《あぶらけ》のない日灼けした顔には太い皺が縦横に走り、短く刈《か》った髪も半分以上は白くなっている。居眠りをしているようでもあるが、たまには頭をゆらしていて、口の中で演歌でもうたっているような感じだった。

麻子さんが戻ってきて、口笛を吹くように唇を丸めながら、また元の椅子に座りこんだ。

「やっぱりよ。新井さん、一年のときも訓子と同じクラスだったって。わたしがなんでそんなことを訊くのか、君枝のほうが不思議がってたわ」

「当然、親しかった様子は、なかった」

「当然ね」

「なんだ、お嬢じゃねえか」

麻子さんの反対側で声がして、それまでうつむいていた秀さんという人が、むっくりと頭をあげた。目の焦点は相変わらず不確かで、それでも今度はなんとか、麻子さんの顔を認めたようだった。

「どうもどっかで、聞いた声がすると思ってた」

「今ごろなにを言ってるのよ」と、子供を叱《しか》るような声で、麻子さんが言った。「秀さん、そろそろ切りあげて、帰りなさいよ」

「帰《けえ》ったって女房《かかあ》が待ってるわけでもねえやね」

「陽子《ようこ》さんが心配してるわ」

「あんなやつあ、今ごろどこの馬の骨とも分んねえ野郎と遊びまわってまさあ。わっしのことなんざ、気にもとめてねえ」

「先日《こないだ》うちのお袋に、秀さんにあまり飲まないように言ってくれ、と電話してきたわ」

「お嬢に言っても始まらねえや。陽子のやつあその野郎と一緒んなって、フィリピンだかインドネシアだかへ行くとかぬかしやがる。その男がダムをつくりに行くんですとよ。え？　なんで日本人がそんなとこまでわざわざ、ダムなんぞこせえに行かなきゃなんねんですかい。ダムなんざ日本でよ、どっかその辺で、好きなだけこせえりゃいいじゃねえかってんだ」

麻子さんが口の中で笑って、仕方がないわね、という目で鼻の頭に皺をつくってみせた。

「うちにずっと昔からいる人。会社でいえばまあ、専務っていう感じね」

秀さんという人が首をのばして、麻子さんの頭の上から、ひょいとぼくの顔をのぞきこんできた。

「へぇえ、こいつあたまげた。どうも雨がふらねえと思ったら、お嬢のせいだったんか」

秀さんはそれからもう一度首をのばし、また「へぇえ」と唸ってから、空になっていたコップを、ことんとカウンターに差し出した。

「もうやめたほうがいいんじゃないのかい」と、主人らしい人が言った。

「てやんでえ、男嫌えのお嬢が宗旨がえなすったてえのに、飲むなって法があるもんかえ」

秀さんはコップを握ったまま主人に催促し、主人は麻子さんに目で了解を求めてから、そのコップに一升びんの日本酒を注ぎ足した。

満足そうに下唇で酒を一すすりしてから、秀さんが言った。

「死んだ女房《かかあ》にいい土産《みやげ》話ができたってえもんだ。やつも心配してましたっけ。お嬢もおかみさんに似て、縁遠いかも知んねえって」

「年寄りだから言うことが大げさなのよ」と、きまり悪そうに首をすくめて、麻子さんがぼくに言った。

「君が男嫌いだという意見は、府中で一般的なのか」

「みんなが勝手に決めつけているの。十六で結婚する女の子、いくらでもいる世界だから」

「今の時代の話?」

「それぐらいのお嫁さんをもらった子、うちの組に二、三人はいるわ」

「なんだか、酔っぱらってきた」

秀さんが今度は、麻子さんの顔の前からぼくのほうに首をつき出した。

「それでなんですかい? そちらの坊っちゃんは、やっぱし素人《カタギ》の衆の倅《せがれ》さんですかい」

「学校の同級生よ」

「学校の? へええ」

「調布の戸川さんちの子」

「調布の……」

あいまいだった秀さんの目が、急に焦点をむすび、ゆれていた酒のコップが顔の前で、ぴたりと静止した。秀さんがヤクザの専務なら刑事の親父を知っていても、おかしくはない。そしてその二人になにか関係があるとしたら、決して友好的なものではないだろう。ぼくは秀さんがあばれだしたらすぐ逃げ出せるように、椅子の上で少し、重心を出口の側にかたむけた。

「お嬢、まさかわっしをからかってるんじゃあ、ねえでしょう」

「なんのことよ」

「調布の戸川って、まさか調布署の、戸川のだんなのこっちゃあ……」

「戸川くんのお父さんは、知ってるわよね」

「そりゃあ、知ってるにゃ知ってるが……」

秀さんの顔の皺が、また深くなり、手に持ったコップがぶるぶると震えだした。いくらヤクザと刑事で仲が悪いとしても、ちょっと、大げさではないか。

「てえへんだ、こいつあてえへんだ」

秀さんが自分の気を鎮めるようにコップの酒を呷《あお》り、空になったコップを威《おど》すような目で、がつんとカウンターにつき出した。ただ幸い、ぼくに襲いかかってくる気配だけは、なさそうだった。

「てえへんなことになっちまった。死んだ女房《かかあ》になんて言ってやったもんだか」

なんだかよくは分らないが、秀さんの台詞はもう、半分以上独り言になっていた。

「大変て、なにが大変なのよ」

「お嬢が戸川んちの倅さんと、恋仲になっちまった。こいつあてえへんだ」

「いい加減にしないと、怒るわよ」

ぼくも二日間付きあって分ってきたが、その声は麻子さんが本当に怒りだしたときの声で、残念ながら秀さんは、麻子さんにあれが近い、ということを知らないのだ。

「お嬢だってまさか、例のことはおかみさんから、聞いてなさるんでやしょう?」

「例のことって」

「例のことっていや、例のことに決まってまさあ」

「だから例のなによ」

「例の、あの……」

「例の？」

「聞いてねんですかい」

「なんの話よ」

「本当に聞いてねんですかい」

「秀さん、本気でわたしを、怒らせる気？」

てえへんだ、こいつあてえへんだ。

「やあ、そりゃあ……」と、わざとらしくコップの酒をなめて、しゅっと秀さんが鼻水をすすった。「おかみさんがお嬢に話してねえものを、わっしの口から言うわけにゃいかねえ。それにしてもこいつあ、てえへんなことになっちまった」

麻子さんの上唇がめくれて、目が一瞬、たてに並んだ。ビールのビンでもふりあげるかと思ったが、そこまではやらなかった。そのかわり目の前のイカの鮨を抓《つま》みあげて、秀さんの握りしめているコップの中へ、ぴしゃっと叩《たた》きこんだ。もう一度ぼくは確信した。こういう子と付きあっていくのは、ぜったいに大変なのだ。

「酔っぱらったんなら、さっさと帰りなさいよ」

「わっしゃあべつに、酔っぱらったってわけじゃあ、ねえ」

「戸川くんに失礼じゃないのよ」

「そりゃまあ、そうでやんすけんど、あんましてえへんだったもんで……」

「だから言えばいいじゃないのよ」

「おかみさんが言ってねえものを、わっしの口からは言えねえ」

「秀さん」

麻子さんが頬をひきつらせて椅子に座りなおし、それから腕を組んで、横目で秀さんの顔を睨みつけた。

「あんた、本当は言いたいんでしょう?」

「いやあ、わっしの口からは言えねえ」

「言いたいんでしょう?」

「おかみさんが言ってねえものを、わっしがお嬢に言うってえわけにゃあ……」

「言いたいのよね?」

「わっしが言ったなんて知れたら、おかみさんに、殺されちまいまさあ」

まったく、そんなに麻子さんの両親は、人を殺すのだろうか。

「わたしは秀さんに聞いたなんて、誰にも言わない。それならいいじゃない」

「そりゃあ、まあ」

「秀さんだって本当は、言ってみたいんでしょう」

「そりゃあ、まあ」

カウンターの内に、麻子さんが言った。

「おじちゃん、秀さんに新しいお酒を」

主人が別のコップに酒を注いで、ちょっと心配そうな顔で、それを秀さんの前に差し出した。

「言っちゃいなさいよ、ねえ?」

どこで人格を入れかえたのか、それはぼくでも初めて聞くような、寒けがするほど優しい声だった。

「親方にも言わねえって、約束しますかい」と、新しいコップを自分の前にひき寄せて、秀さんが訊いた。

「約束するわ」

「組の他のやつらにも、ぜったいですぜ」

「ぜったいよ」

「わっしとお嬢だけの秘密ですぜ」

「わたしと秀さんだけの秘密よ」

観念したのか、ただのせられただけなのか、酒を口にふくんで一呼吸してから、秀さんが言った。

「実は、おかみさんと戸川のだんなは、女学校で同級だったんでやす」

肩に力を入れて身をのり出していたぼくも、秀さんの告白に、思わずうーんと唸っていた。

たしかなことは知らないが、親父はたぶん、女学校へは行っていないはずだった。

秀さんに向いていた麻子さんの顔が、ぼくのほうへまわってきて、戸惑いの目がぼくの顔の上を、不審そうに漂った。親父の名誉のために、ぼくは断固首を横にふった。

「冗談だったの」と、また秀さんのほうを向いて、麻子さんが訊いた。

「なにがですかい」

「戸川くんのお父さんが、どうして女学校なんかへ行ったのよ。だいいちお袋が行ったのはわたしと同じ、深大寺学園よ」

「だから女学校でやしょう」

「女学校っていうのは、女の子だけの学校なの」

「へええ、そうでやすか」

「要するに秀さんは、うちのお袋と戸川くんのお父さんが高校で同級だったと、そう言ってるわけ?」

「最初からそう言ったじゃねえですか」

「もういいわよ、まったく」

麻子さんがビールのコップを握って、がぶんと飲みほした。

「たしかに偶然だけど、そんなことのどこが、大変なのよ」

「だから、それぐれえはちっとも、てえへんじゃねえでさあ」

「それじゃなにが大変なのよ」

「てえへんだったのはそのあとだ。おかみさんと戸川のだんなが、恋仲になっちまったんでやす」

あんまり何回も唸っても仕方なかったが、やっぱりぼくは唸ってしまって、今度は頭の中で、ウッソーッと叫んでいた。

「この話はもちろん親方が婿に入《へえ》る前《めえ》のことでやす」と、すっかり淡々とした口調になって、秀さんがつづけた。「あんときゃあてえへんな騒ぎになっちまって。女学校をおえると、おかみさんと戸川のだんなが一緒んなるって言い出しやしてね。ところがそうは問屋が卸《おろ》さねえ。おかみさんは酒井組の一人娘、あちらさんにしたって旧家のご大身だ。大事な一人息子をヤクザの婿にするわけにゃいかねえってのが、世の道理でやす。すったもんだしてるうちに、このお二人が駆け落ちなすっちまった。さあてえへん、戸川んちは戸川んちで警察にねじこむわ、うちの先代はうちの先代で同業の衆に廻状をまわすわ。お二人のいどころがめっかったのは、三カ月もしてからでやす。あんときゃあわっしも先代のお伴をして、お二人が隠れてなすった北海道の牧場まで駆けつけたでやす。戸川んちも先代やらご親戚の方やらが駆けつけて、とにかくお二人を東京へ連れ戻し、あとは別々に監禁って感じで、無理やり仲をひき裂いちまった。気のどくだとは思いやしたが、こいつばっかしはどうなるもんでもねえ。わっしはちょうどそのころ女房《かかあ》と一緒んなったばかしのときで、なんとかって西洋映画を観に行きやしたけど、その話がまるでおかみさんと戸川のだんなの話みてえで、かかあと二人して泣いちまったもんでやす。知ってますかい？　その映画」

「ロミオとジュリエット？」

「そうでやす。『ロミオとジュリエット』。わっしが映画を観て泣いたなんざ、高倉健《たかくらけん》の『唐獅子牡丹』と、あとにもこの二回きりでやす。おかみさんはそれから十年がとこ、ぴたりと男を寄せつけやせんでした。先代の具合がいよいよいけなくなって、そんときんなってやっと今の親方と一緒んなることを承知なすった、そんなわけでやす」

　麻子さんが呆気にとられたような顔でぼくのほうを向き、目を見開いて、ふーっと深いため息をついた。

「信じられる？　今の話」

「さあ」

「聞いたことは？」

「ぜんぜん」

「まるで時代劇みたい」

「まるで作り話みたいだ」

「作り話であるもんですかい」と、秀さんが話に割りこんだ。「わっしがてえへんだって言った意味が、お分りでやしょう？　因縁てなあ怖《こえ》えもんだ。ねえ？　あれから三十年がとこしたら、今度はおかみさんの娘のお嬢と、戸川のだんなの倅さんとが、また恋仲になっちまった。こいつあやっぱし、因縁てやつでさあ」

「その恋仲っていうの、やめてくれない？」

「なぜでやす」

「わたしたちが、悪いことでも、してるみたい」

「お嬢がそっちの坊っちゃんに惚れてて、坊っちゃんがお嬢に惚れてなさる、こいつを恋仲って言わねえで、なんて言やいいんですかい」

「ただ一緒に、お鮨を食べてるだけじゃないのよ」

「一緒に鮨を食うだけで、お嬢はいちいち赤くなるんですかい」

「そんなの、ビールを飲んだから」

「麻子ちゃん、顔には出ないんじゃなかったっけねえ」と、主人が横やりを入れた。

「ようがす。この一件、わっしに任せてくんなせえ」

秀さんがしゃきっとした顔で言いきり、背筋をのばして、一気にコップの酒を呷った。

「お二人がそこまで惚れあってなさるんなら、このわっしがなんとかしようじゃありやせんか。あんときゃあわっしもかけ出しで、先代に逆らうわけにもいきやせんでしたが、今度ばっかしはお嬢に悲しい目を見せられねえ。この山田《やまだ》秀松《ひでまつ》、冥土《めいど》の女房《かかあ》への土産話に、一発死に花を咲かせてご覧に入れやしょう」

「わたしと戸川くんが食事をしただけで死んでたら、秀さんの命なんて、いくつあっても足りないわよ」

それから麻子さんはぼくに向き直って、あきらめきったように肩を落としながら、静かに首を横にふった。

「分るでしょう？　わたしが家に、友達を連れていかない理由」

「意外に、受けるかも知れないけど」

「こんな連中ばっかりなのよ」

「うちの親父も、似たようなもんさ」

「だけど今の話、本当だったら、おっかしいと思わない？」

「今年聞いたニュースの中では、一番の傑作だな」

ぼくは自然に、今朝麻子さんの顔を見たときの、親父のあの不自然な様子を思い出していた。そういえば、そうなのだ。麻子さんがいくら美人でも、たかが息子の同級生なわけで、親父があそこまであわてる理由は、なにもない。帰ってからどうやって親父を攻めてやろうかと考えただけで、ぼくは鳥肌が立つほど、嬉しくなっていた。

秀さんはまだぶつぶつ言っていたが、ぼくらは鮨も食べおわったので、秀さんのことは放ったらかして店を出ることにした。勘定はつけでいいのだと、麻子さんはぼくに払わせなかった。金銭の貸し借りをメモする手帳を、たぶん麻子さんは、もっていないのだろう。

バイクの置いてある場所まで戻ってきて、ぼくがハンドルに手をかけたとき、麻子さんがうしろからぼくのシャツをひっぱった。

「怒った？」

「なにを」

「怒ってるんでしょう」

「だから、なにを」

「怒ったんなら怒ったって、言いなさいよ」

「君の尋問のやり方は、さっき見た。その手にはのらない」

「でもちょっとは、気を悪くしたでしょう」

「酒井のお袋さんは、君に似てるんだろうな」

「よく似てるって言われるけど」

「うちの親父は、ぜったい君のお袋さんに、惚れていた」

「聞いてないと言ったじゃない」

「聞いていなくても分るんだ。お袋が心配していた。おれは親父に、似たところがあるってさ」

ぼくはバイクに跨がり、スタータをキックして、エンジンを二度空吹かしさせた。麻子さんはバイクに手をかけないで、黙ってぼくの顔を眺めていた。麻子さんの口の結び方は、ちょっと怒っているときのそれだった。その唇にキスするにはほんの少しだけ、ぼくにも心の準備が必要だった。ぼくの唇にはまだかすかに、朝倉洋子の感触が残っていた。


家に戻ってみると、親父も帰っていて、ダイニングの椅子にふんぞりかえって肴なしでビールを飲んでいた。野球は八回の裏まで終っていた。ジャイアンツは七対一で負けていて、延長中継されたナイターももう少しで終ろうとしている時間だった。

「逆転できそう?」と、ぼくが訊いた。

「可能性が、なくはない」と、煮えくり返っているだろう腹の内を、必死におさえて、親父が答えた。「小松《こまつ》も疲れてきたし、九回の裏の巨人は篠塚《しのづか》からだ」

どういう心理かは知らないが、親父は今自分で言ったような可能性を、なぜか本気で信じている。王《おう》と長嶋《ながしま》が現役だったころ、そういう試合を一度見たことがあるというのが、親父がその可能性を信じている根拠だった。

「なにか食べた?」

「いや」

「その辺で食べてくれれば、よかったのに」

「ナイターが終ったら行こうと思ってたんだが、面倒くさくてなあ。おまえは?」

「食べた」

「ふうん」

「ピラフでもつくろうか」

「これからつくらせても、悪いしなあ」

「かまわないよ。今朝のご飯が残ってるし」

「いいのか」

「いいさ」

「それじゃ、そうするか」

なにを、白々しい。どうせ親父は最初から、そうすることに決めていたのだ。ぼくは手を洗ってから、ピラフの仕度《したく》にとりかかった。こっちはあれだけ愉快な時間をすごしたのだから、文句を言っては失礼になる。

「今朝うちに来た女の子、どう思う?」と、親父の気配をうかがいながら、厳粛《げんしゅく》な口調で、ぼくが言った。

「朝飯を食いに来た娘か」と、椅子の中で不安そうに尻を動かして、親父が訊いた。

「べつに朝飯を食べに来たわけじゃないよ。掃除を手伝ってくれた。きれいになってるだろう」

「そう言えば、そうかな」

「どう思う?」

「どう思うって」

「父さんがどう思うかを、訊きたいんだよ」

「高校の同級生だろう」

「同級生なら他にだっているさ。いちいち父さんに感想は訊かない。ねえ、どう思う?」

「そりゃまあ、感じは、よかったな」

「酒井組の娘だよ」

「女はみんな誰かの娘だ」

「それじゃ、いいの?」

「なにが」

「ぼくたち、結婚するんだ」

親父が、はっきり音が聞こえるほど、ばたっと椅子の中でとびあがった。

「なんだと?」

「結婚するんだよ」

「だって……」

「感じのいい娘だと言ったじゃないか」

「ん……」

「父さんさえよければ、明日から一緒に暮したいんだ。この家にも女の人は必要だし」

「あ……」

「籍を入れるのは十八になってからだけど、もう二人とも来年まで、待てないんだ」

「だっておまえ、先週までは他の娘と、付きあってたろう」

「あっちは話がついた」

「急にそんな、なにも……」

「ヤクザの娘では、だめなの？」

「そうは言わんが、だって、なあ」

「だって、なに」

「こういうことは、もっと、慎重に考えんと」

「父さんが反対するんなら、ぼくたちは駆け落ちするしか、仕方ない」

「おまえなあ、今ジャイアンツが、負けてるんだぞ」

「それどころじゃないだろう」

「それどころじゃないな。たしかに、それどころじゃない」

親父が椅子にへたりこんで、口だけをぱくぱく、二、三度動かした。

「はっきり返事をしてよ」

「急に、その、言われてもなあ」

「明日、彼女のお袋さんに、会ってくれる?」

「明日?」

「早いほうがいいだろう」

「俺に春代《はるよ》さんに、会えだと?」

「お袋さんの名前をなぜ父さんが知ってるのさ」

親父は口を開けたまま肩で息をするだけで、返事の言葉を、どうしても声に出さなかった。ぼくの我慢もそれが限界。次の瞬間には包丁を放り出して、あとは爆発した笑いがおさまってくれるのを、ひたすら待つだけだった。これだけ出来のいい喜劇にめぐりあうことは、もう二度とないだろう。

「まさか、おまえ、今のは、冗談だったのか」と、ぼくの笑いがおさまって、涙を拭きはじめたのを見ながら、親父が言った。

「決まってるだろう」

「あんな冗談、聞いたこともないぞ」

「だから可笑《おか》しいんだよ」

親父にもう一本ビールを出してやって、またこみあげてくる笑いをおさえながら、ぼくはピラフのつづきにとりかかった。ナイターは終っていたが、どっちみち逆転なんか、できるはずはなかったのだ。

「秀さんていう人に会ったよ。酒井組に昔からいる人だって。知ってる?」

「まあ、な」

「それで昔のことを聞いた」

「そういうことか」

「どうして今まで、言わなかったの」

「いちいち言えるか、そんなこと……」

「言ってもよかったのに」

「昔のことだ」

「今でも彼女のお袋さんを、好きなの」

「どうだかな」

「母さんは知ってた?」

「まさか」

「女ってそういうところの勘は、鋭いよ」

「そんなもんかな」

「早く忘れないと、今度父さんと一緒になる人にも、悪いよ」

「人間には忘れられることと、忘れられんことがある」

「忘れたふりぐらいは、しなくちゃね。礼儀でさ」

できあがったピラフと卵スープをもって、ぼくがテーブルに運び、親父が鼻白んだ顔でそれを食べはじめた。親父の顔をじっくり見るのも久しぶりだったが、あらためて眺めてみてもやっぱり、それほど不細工な男ではない。中年男の渋味みたいなものだって、まあ、なくもない。もう少し風体に気を使えば、間違って若い女が惚れてくれる可能性も、なくはない。

「真面目な話だけど……」と、親父の手元をのぞきこみながら、ぼくが言った。「もう三年になるし、次を考えても、いいんじゃないのかな」

「考えるぐらいはいつだって、考えてる」

「考えていないのかと思ってた」

「考えただけでは、どうにもならん」

「母さんがぼくに、一緒に暮さないかって」

親父のスプーンを動かす手がとまって、眉が少しつりあがった。

「それで?」

「それだけ」

「返事は?」

「返事なんかしてないよ」

「しかし、そのうち返事を……」

「このままでいいんだよ。だけど父さんが一人だと、ぼくだけが遊んでるみたいで、気がひける」

「おまえが女となにかするのに、口を出した覚えはないぞ」

「気持ちの問題さ」

「おまえの女遊びのために、俺に結婚しろと？」

「そうじゃないけどね。今朝、彼女と三人で飯を食べたろう。そのとき、やっぱり家に女の人がいるのは、いいなって」

「それはこっちの都合だ。都合で一緒になるのと、相手に幸せになってもらうのとは、別の問題だ。都合で一緒になっても結果は、たかが知れてる」

親父がスプーンを置いて、真面目な顔でぼくの顔を見つめてきた。

「真知子《まちこ》のときだってな。そりゃあ惚れてなかったとは言わんけど、それよりもあのときは家の都合が大きかった。親戚は騒ぐし、親父やお袋は弱くなってたし、俺も面倒くさくなって、まあいいかって気になった。その結果がこういうことだ。真知子には今でも済まなかったと思ってる」

「父さん、もしかしたら母さんと暮していたとき、ずっと済まないと？」

「当然だろう」

「それが相手には負担なんだよ。もっと無神経で、よかったのに」

「今さら言っても始まるか。どっちみち、どうもな、どうも俺には、女の人を幸せにする能力が、欠けている気がする」

「考えすぎだよ。たとえば酒井のお袋さんだって、父さんと別れたあと、十年も男の人を寄せつけなかったって。先代の親分という人が死ぬときになって、組を継ぐために今の親分と一緒になって、要するにそれも都合だろうけど、それでもけっこううまくいってるらしいよ。都合で結婚したからって、みんな父さんたちみたいになるわけじゃないさ。父さんと母さんの場合は、ちょっと運が悪かった。だからってこの次も運が悪いとは、かぎらないさ」

「しかし、俺ぐらいの歳になってからの失敗はな、おまえみたいにかんたんに立ちなおれんのさ。まあ、おまえの場合は、立ちなおるのが早すぎる気も、しなくはないが」

「ぼくが言ってるのはさ。今度父さんに、ちょっといいなと思う人ができたら、つべこべ言わずに付きあってみろ、ということさ。それでその人と父さんとぼくと、三人で暮せそうだったら、面倒なことは言わずに一緒になってみる。つまり、エイッて感じでさ」

「エイッて感じで、なあ」

「そうさ。エイッて感じでさ」

「それじゃまあ、そういうことにしておくか……エイッと」

親父が置いていたスプーンをとりあげ、苦笑いをうかべながら、またピラフをつつきはじめた。それを見てぼくは風呂場へ歩いていった。自分でも今日はシャワーでなく、熱めの湯にどっぷりとつかりたい気分だった。

浴槽《よくそう》に水をはって、火をつけてからダイニングへ戻ってみると、親父は食べおわったピラフの皿を押しのけて新聞を広げていた。

「コーヒーでも飲む？」と、ぼくが訊いた。

「番茶がいいな」と、煙草をくわえながら、親父が答えた。

ぼくは番茶のためのヤカンとコーヒーのためのパーコレータを火にかけて、台所から声をかけた。

「明日は洗濯をするから、出しておきなよ」

「ああ」

「銀行から入金の通知が来てた」

「ああ」

「そろそろクルマを変えてみたら？」

「まだ動く」

「気分転換にさ」

「気分なんか、変えたいとは思わんな」

「でも音がひどいよ」

「あの音を聞くと、エンジンがちゃんと動いてるっていう、実感が湧く」

親父はもう十年も同じフォルクスワーゲンに乗っていて、そのことには文句はないが、なにしろ色がオレンジ色なのだ。あんなクルマで誘われて、親父と一緒にドライブへ出かける気をおこす女の人が、いるものだろうか。

湯とコーヒーが沸き、ぼくは親父の番茶と自分のコーヒーカップを持って、ダイニングのテーブルまで運んでいった。

「父さん」と、親父の前の椅子に腰かけながら、ぼくが言った。「真面目な話なんだけどね」

「もう分った」と、湯呑《ゆのみ》をとりあげながら、親父が答えた。「エイッとな」

「別な話だよ」

「前の彼女に俺から話をつけろなんていうのは、だめだぞ」

「そんなこと、頼んだことはないだろう」

「なあシュン、俺が今日なん軒聞き込みをして歩いたか、知ってるか。五十軒だぞ。それもケチな下着泥棒のためにだ」

「本当に真面目な話なんだ」

「真面目な話でもなんでも、俺はかんたんな話が好きだ」

「たとえば父さんが殺人犯人を追いかけてるとするよね。そのとき、いったいなんのためにこんなことをするのか、考えたことは？」

「それがかんたんな話か」

「かんたんな話だなんて、言ってないさ」

「刑事が人殺しを追いかけるのに、なにを考える必要がある？」

「殺されたほうに問題があっても？」

「殺人事件のほとんどは、殺される側にも問題はある」

「そういうことじゃなくて、つまり、殺されたほうも人に知られたくないなにかをやっていて、そのことを友達も家族も知らなくて、もしそのことを知ったら家族がひどく傷つくような場合、父さんならどうする？」

「なんの話だ？」

「たとえばの話さ。犯人を探してるうちには、殺された人間が隠そうとしていたことも分ってくる。家族の人は、たとえば、その殺されたのが自分の子供で、殺されたんじゃなく自殺だと信じていたとして、それが殺されたんだと分って、殺される理由が自分の子供にもあったなんていうことになったら、大変じゃないかな。犯人なんか分らなくてもよかった、と思うかも知れないだろう」

「ずいぶん長いたとえ話だな。それ、昨日死んだおまえの同級生と、関係があるのか」

「ただのたとえ話だよ」

「それならまあ、そうしておくが。だからって犯人を捕えんわけには、いかんだろう」

「商売だから？」

「社会秩序の問題だ」

「今は社会秩序のことなんか、言ってないよ」

「社会秩序のどこが悪い？　ないよりはあったほうがいいだろう」

「そういうことじゃなくて……」

「そういうことさ。誰も犯人を捕える者がいなくて、人殺しでも泥棒でも、やりたい者が好きなことをできる世の中になったら、どうする。暴力的にも権力的にも、力だけが優先されるようになる。現にそういう時代はあったし、今でもそういう国はあるけども、どんなもんかな。どっちにしろ人間の価値観の問題で、どんな価値観をもってどんな社会をつくろうとも、その人間たちの勝手なんだろうが……だから、まあ、俺の気分の問題だ。俺はどっちかっていえば、弱いやつも強いやつにいじめられないで、両方とものんびり生きていける社会が好きだ。そういう社会が嫌いなやつもいるが、俺としては、そういうやつにはちょっと我慢してもらいたい。みんながちょっとずつ我慢する。暴力的なやつには暴力をふるうのを我慢してもらう。権力のあるやつには権力の無理おしを我慢してもらう。おまえのたとえ話なら、その子供の両親にも、つらいだろうがそのつらさを我慢してもらう。社会秩序の問題でもあるし、俺の気分の問題でもある」

親父が湯呑に口をつけて、番茶をひとすすりした。

「それに気分のことを言うなら、殺された人間の気分もある」と、親父がつづけた。「殺された人間は死にたいと思っていたのかどうか。なあ、その殺された人間が身近であればあるほど、たとえばおまえが理不尽に殺されたとしたら、俺はおまえの『死にたくなかった』という意志を代弁してやりたい。難しい理屈でもなんでもないだろう」

親父はそれで終りだと言わんばかりに、一つうなずいて、番茶の残りをずずっとすすりあげた。ぼくは親父の演説を頬杖をついて聞いていたが、とりあえずはまともな意見だな、とけっこう感心した。世間が思うほど、親父も二十年間、ぼんやりとは警官をしていなかったのだ。

「父さんがなぜ刑事をやっているのか、母さんは最後まで、知らなかったんだろうね」

「もちろんちがう意見のやつはいるさ、警官にも泥棒にもな」

「それだけ分ってるのに、なぜ女心が……」

「世の中は分業するようにできてるんだ。女心のほうは、おまえに任せてる」

新聞をたたんで、親父が立ちあがった。

「さて、風呂にでも入るか」

風呂場のほうへ歩きかけて、そこでまた親父が立ちどまった。

「シュン、あの酒井組の娘なあ」

「うん」

「名前は?」

「麻子」

「無茶をするなよ」

「ヤクザの娘だから?」

「そういう意味じゃない。そんなことは、どうでもいいんだが……」

「分ってるよ。父さんに似て、見かけよりぼくは、内気なんだから」

親父はあまり納得したふうもなく、ふんと鼻を鳴らして、そのまま風呂場へ歩いていった。

ぼくはテーブルに残ってコーヒーを飲み、親父の煙草を一本もらって、それに火をつけた。麻子さんが一晩考えてどういう結論を出すかは知らないが、少なくともぼくの結論だけは、出ていた。かんたんなことなのだ。たとえ自殺であったとしても岩沢訓子は、本心から死にたい、

のだろう。

されて、なんとなく苦笑した。無茶ではない男と女の関係というのは、いったいどんな関係な

日灼けの痛みが走って、ぼくはちょっと麻子さんのことを考えた。同時に親父の言葉が思いだ

といで、それから出てきた親父と入れかわりに、風呂へ入った。湯舟につかると肩にひりっと

ぼくは煙草を吸いおわるまで椅子に座っていてから、洗いものを片づけ、明日のぶんの米を

と思っていたわけではないだろう。

3

前の晩は自分でも意外なほど寝つきがよく、ぼくはかなり健康的な気分で目を醒《さ》ました。やはりいやらしいほど天気はよかったが、葬式に出かけるのだから雨ふりよりは、都合がいい。ぼくは例によって親父に朝飯を食べさせ、仕事へ送り出したあと、二日ぶんの洗濯にとりかかった。親父は放っておけば幾日でも服をとりかえようとしない人で、ぼくもそれだけは真似できなかった。ぼくの習慣はお袋から受けついだのだ。

洗濯と洗いものを片づけ、午《ひる》までの時間は英語の問題集に費やした。ぼくの英語の成績があがったのは、もちろん村岡先生のお陰だった。美人教師が男子生徒の学力向上にどれほど寄与するかは、本気で研究をしてみる価値がある。教科ごとにぜんぶミス・ユニバース級を並べれ

ば、男子生徒の学力なんか、みんな飛躍的に向上する。もちろんそれは男子校にかぎっての話で、それにぼく個人に関しては成績全体が、今の半分以下に落ちるだろう。各教科の先生がぜんぶミス・ユニバース級だったら、理想ではあるが、頭が混乱して、勉強なんか手につかないに決まっている。

午になって、トーストとコーヒーで昼食を済ませ、ぼくは学校の制服に着がえて家を出た。府中市の葬儀場は多磨《たま》霊園《れいえん》の近くで、バイクなら十五分で行く距離だった。

炎天下という言葉がぴったりの日射しの中で、まっ黒いなん百人という人たちが、広い葬儀場の敷地内のわずかばかりの日影を求めて、建て物のあちこちに散らばっていた。しかしそれは岩沢訓子の葬式にやって来た人たちではなく、同じ時間におこなわれる、別の葬式に出る人たちだった。

岩沢訓子のために来ていたのは、ざっと数えて三十人だった。ぼくが知っていたのは上田《うえだ》校長、三枝理事長、学年主任の増田《ますだ》先生、風見先生、村岡先生、伊藤寛子、学級委員の森常夫《つねお》と西岡和江《かずえ》。麻子さんを別にすればその八人だけだった。森常夫と西岡和江はお義理だろうから、同級生で来ているのはぼくと麻子さんの、二人だけ。親父の正義感が伝わったわけではないけれど、やっぱりぼくは、なんとなく、腹立たしかった。岩沢訓子が自分のこの葬式の光景を見たら、どう思うだろう。あんなへんな死に方でなかったら、クラスの全員が出席していたはずだ。数なんて多ければいいというものではないが、それでもこんなに会葬者の少ない葬式なんて、内輪だけで目立たないように、という家族の配慮が逆効果ではないか。人数が少なすぎると、葬式というのは、かえって目立ってしまう。

式が始まるのを待つまでの時間、ぼくと麻子さんは、一度も二人だけで話ができなかった。ふだんろくに口をきいたことはなくても、状況が状況だから森常夫や西岡和江がぼくのそばへ寄ってくる。麻子さんには伊藤寛子がぴったりくっついている。そしてぼくと麻子さんがくっついているから、けっきょくはいつも五人がくっついていることになる。

ぼくはトイレを口実に四人から離れ、待合室の前の村岡先生のところまで、ぶらりと歩いていった。村岡先生は増田先生と風見先生のまん中で、日射しの強さに当惑したような、ぼんやりした顔で立っていた。増田先生は学年主任だから当然としても、風見先生が葬式にまで顔を出すのは、ちょっとばかり大げさだな、とぼくは思った。風見先生の本命は死んだ岩沢訓子ではなく、生きている村岡由起子《ゆきこ》なのだろう。

ぼくは増田先生と風見先生に一応の挨拶をして、目の合図で村岡先生を庇《ひさし》の下から連れ出した。

「今日もまたおつれなの？」と、皮肉っぽい言い方で、村岡先生が言った。こんな暑い日にまっ黒いスーツを着せられて外にひっぱり出されれば、誰だって皮肉の一つぐらいは言いたくなる。

「連絡は全員に？」と、ぼくが訊いた。

「クラスの人には全員ね」

「新井恵子へは?」

「なあに?」

「彼女のところへも、連絡を?」

「本人はいなかったけど、お家《うち》の方に伝えておいたわ。どうして?」

「ただ、なんとなく」

「新井さんと岩沢さんは、親しかったの」

「さあ」

「なにか知っているのね」

「なにも」

「なにも知らないのに、あなたがそんなこと訊くわけ、ないでしょう?」

「昨日、新井の夢をみました。それだけです」

村岡先生はハンカチで顎の下をおさえ、目を大きくして、一つため息をついた。

「いいわ。そのことはあとでゆっくり話しましょう。それにしても……本当に誰も来なかったわね。わたしの言い方が悪かったのかしら」

「夏のせいです」

「え?」

「こんな暑いときに、岩沢も、死ぬことはなかった」

村岡先生が首筋の髪を軽く指でかきあげ、日射しに目を細めて、口の端に力を入れた。ぼくの人格に関してはもう、すっかりあきらめたような顔だった。

「あなたたち、昨夜あれから、本当にビールを飲んだの」

「冗談です」

「べつにそれぐらいはかまわないけど、目の前であんなこと言われると、困ってしまうわ」

「彼女は先生に対抗意識をもってます」

「酒井さんがどうして、わたしに対抗意識をもつの」

「どっちがきれいなのか、自分でも分らないからでしょう」

「場所柄をわきまえなさい。そんな、ばかなこと……」

その口調が、意外にきつかったので、一瞬ぼくも緊張した。だが村岡先生の表情は怒っているというよりも、困っている顔だった。村岡先生にはやはり、ぼくの人格が理解できなかったのだ。

ぼくはそこで話を終らせ、会釈をして、他の四人が立っている場所へ戻っていった。麻子さんはぼくのほうを見ていなかったが、口は例の、あの怒ったときの結び方だった。元々感情を隠すのが下手な子なのか、それともわざと見せつけているのか、たぶん両方だろう。

岩沢訓子の葬式は、一時ちょうどに始まった。それを一般的な意味での葬式と呼べるかどうか、判断できなかった。友人代表ということで西岡和江がかなり無理のある弔辞を読み、岩沢訓子の父親が意味のとおらない答辞を言って、あとは焼香に移るだけ。ぼくの祖父《じい》さんが死んだときは坊さんのお経が終ったあとも、まだ長々と焼香の列がつづいていた。この葬式では、全員の焼香が終ったときでも、まだ坊さんは経を読みはじめたばかりだった。

読経の終りと同時に葬儀も終り、あとは岩沢訓子を焼いて、骨にするだけだった。そっちのほうは家族と親戚だけでやるというので、ぼくたちはそこで用済みになった。事件の手がかりという意味では、新井恵子が連絡を受けていながら来なかったという事実が一つあっただけの、他にはなんの内容もない葬式だった。テレビドラマや推理小説では、よく会葬者の内に犯人がいたりするものだが、ああいうのはやはりつくりものだろう。犯人がみんな葬式に顔を出してくれれば、親父の仕事はもっと楽になる。

森常夫と西岡和江は二人でさっさとひきあげたが、伊藤寛子だけはぼくたちと一緒に、いつまでも葬儀場の敷地に残っていた。二人だけで相談しなくてはならないことがあるというぼくの気持ちは、麻子さんには伝わっていたが、伊藤寛子には伝わらなかった。

「呆気《あっけ》なかったわよねえ」と、麻子さんの向こう側から、首をかしげて伊藤寛子がぼくたちに話しかけてきた。「なんか嘘みたい。お葬式ってさ、もっとぱっと派手にやらなくちゃ、死んだ訓子がかわいそうよねえ」

ぼくと麻子さんも気持ちは同じだったが、伊藤寛子の口から言われると、なんとなくどこかが、少しちがうようでもあった。

「ねえ、二人とも家に寄っていかない？　近いしさ、それでビールかなんか飲んで、ぱっと派手にやりなおそうよ」

「これから用があるの」と、頭の上の煙突に、ぼんやりと目をやりながら、麻子さんが言った。

煙突からはまだ煙も出ていなかった。

「それじゃさ、戸川くんだっけ。あんただけでも寄っていかない?」

「君の彼氏に悪いだろう」

「平気よ、あいつ海に行っちゃったの。勝手だと思わない?」

「おれも用があるんだ」

「あら、そうなの」

「寛子ね、わたしたち、二人で用があるの」

その麻子さんの声は、苛立《いらだ》ちを精いっぱい我慢してのものだったが、『わたしは苛立ちを精いっぱい我慢している』という意志が相手に伝わる程度には、じゅうぶん凄味のあるものだった。ぼくが麻子さんにこんな声を出されたら萎縮《いしゅく》してしまうだろうに、伊藤寛子は案外に、けろっとしたものだった。

「なあんだ、それなら最初っから言えばいいじゃないの。邪魔者は消えろってさ。だけどさあ、今度本当に集まらない? 君枝と三人でさあ」

「そのうちね」

「ねえ、三人でぱっとさあ、訓子のお葬式をやりなおそうよ。このままじゃわたし、ぜんぜん訓子が死んだって実感が、湧いてこないんだもの」

伊藤寛子はぼくと麻子さんに一度ずつ手をふり、「じゃあ」と言って、そのまま門のほうへ大股《おおまた》に歩いていった。べつに悪い子ではないが、場ちがいな場所で会うと、たしかに苛々させられる。

少し伊藤寛子のうしろ姿を見送ってから、バイクを置いた場所に向かって歩きだしたとき、麻子さんが言った。

「やっぱり、訓子がかわいそう」

葬式の最中でも泣かなかった麻子さんの目から、涙が出てきて、それがセーラー服の胸にぽとぽとと伝わった。

「だって、誰も分ってないじゃない？　怒っていいのか、悲しんでいいのか、あきらめていいのか。今日来た人たち、誰も分っていないわ。わたしにだって分らない。そんなことってある？　訓子だってなにか言いたかったはずなのに。このままじゃやっぱり、訓子がかわいそうだわ」

「そういう結論が、出たわけだ」と、麻子さんにハンカチを渡しながら、ぼくが訊いた。

「昨夜はね、本当いうと、寝ちゃったの。なにも考えたくなかったし、考えられそうな気分でもなかったの。でもお葬式の間ずっと考えていたわ。やっぱり許せないなって。訓子だってくやしいだろうなって。訓子にこんなひどいことをした人、やっぱり見つけてやらなくちゃって……戸川くんは？」

「おれはなにも考えなかった。酒井がそういう結論を出すことは、分っていた」

麻子さんが立ちどまって、静かに煙突のほうをふり返った。濁った色の空につき出た煙突の口から、ちょうど最初の白い煙が、ぽっと吐き出されてくるところだった。

「始まるわね」

「うん」

「熱いだろうな」

「うん」

「わたしだったら叫んじゃうだろうな、熱いようって」

ぼくが麻子さんをうながし、また、バイクのほうへ歩きだした。

「使ってもいいぞ」

「なにを」

「ハンカチ。鼻水が出てる」

麻子さんが向こうを向いて、ぼくのハンカチで鼻をかみ、それを小さくたたんでスカートのポケットに仕舞いこんだ。

「頭にくるわよ」

「そうだろな」

「戸川くんて感情みたいなもの、ないんじゃない？」

「あるような気はするけど」

「女の子が泣いてるときに、いちいち鼻水のことまで、見ないでよ」

バイクのところまで戻り、ぼくは自分のバイクをひき出したが、麻子さんはぼくのやることを眺めているだけで、自分ではバイクをとりに行こうとしなかった。近くには麻子さんが昨日乗っていた、白いバイクも見あたらなかった。

「バイクじゃないんだ？」と、ぼくが訊いた。

「電車」

「どうして」

「来ちゃったの」

「なにが」

「あれ」

「免許停止？」

「ばか」

「ああ、あれか」

ぼくがバイクを押して歩きだし、麻子さんもとなりに来て、二人して多磨霊園駅の方向へ向かいはじめた。頭では分っているのだが、実感として自分のからだで感じられないあれについては、つい忘れてしまう。

「けっきょく誰も来なかったな」と、しばらく黙って歩いてから、ぼくが言った。「新井も来なかった」

「それはわたしも思ってた。もしかしたら、来なかった意味のほうが大きいかなって」

「連絡は間違いなくいってる。村岡先生にたしかめた。やっぱり新井の顔は、見てくるべきだろうな」

「今日、行く？」

「うん」

「わたしも行くわ」

「からだは？」

「平気よ。病気ってわけじゃないし、わたし、軽いほうだから」

「新井の家、分るか」

「家に名簿がある。電話番号ものってる。どっちにしろ一度家に帰って、着がえなくちゃね」

「おれも一度家に帰る」

「電話するわ」

「うん」

「新井さんの家にも電話して、いるかどうか、たしかめようか」

「彼女は、家にいるさ」

「どうして」

「岩沢の葬式の日だから。もしいなかったら、それはそのときに考える。うちの探偵事務所は儲《もう》けはないけど、時間だけはたっぷり使えるからな」

　ぼくが家に着くと、なん分もしないうちにもう麻子さんから電話がきて、その報告によると新井恵子の家は深大寺の近くだ、ということだった。ぼくたちは三十分後に、調布駅の北口で待ちあわせることにした。

　ぼくはガレージから400ccのツーリング用バイクをひき出して、それで出かけることにした。麻子さんのあれがどの程度のものかは分らないが、バスやタクシーでは小まわりがきかないし、もし麻子さんがバイクのうしろにも乗れないというのなら、バイクは駅に置けばいい。

　駅にはぼくのほうが先に着いた。ぼくは改札口から五十メートルほど離れた喫茶店の前にバイクをとめ、そのバイクに腰かけて麻子さんを待っていた。麻子さんもすぐにやって来て、改札口を出たところで辺りを見まわしたが、ぼくには気づかなかった。あとで知られたら怒られるのだろうが、ぼくは二、三分、そのまま麻子さんを観察させてもらった。一時間前の制服を着ていたときの印象と、あまりにも差が大きすぎたのだ。

　麻子さんの着ていた服はうすいピンク色のプリントシャツに、腰のまわりが楽そうな丈の短い水色の綿パン、それに赤いサンダルだった。形も色も目立つように工夫されているとも思えないのに、そばを通る男たちがみな、ちらっと麻子さんの顔を目の端にとめていく。もちろん一年のときからぼくだって酒井麻子のことは知っていて、ずいぶんきれいな子がいるな、とは思っていたが、そのわりに強い印象をもたなかったのは、このせいだったのだ。魅力でもエネルギーでもなんでもいいのだが、制服では麻子さんそのものが中にとじこめられて、狭苦しい雰囲気にしてしまう。制服の中に麻子さん自体がおさまりきっていないのだ。そして制服のときはその違和感がへんなふうに麻子さんを目立たせるし、枠組みを外されると、今度は匂いみたいなものまで魅力的になって、やはり酒井麻子を目立たせてしまう。こういう女の子と、岩沢訓子や新井恵子のような、きれいなくせになんとなく目立たない女の子と、どこがちがうのだろう。

ぼくがバイクをおりて歩いていくと、五メートルぐらいのところで麻子さんも気がついて、二、三歩、ゆっくりこちらに近づいてきた。

「あのバイクのうしろに、乗れるか」と、ふり返って、ぼくが訊いた。

「あの白い線の入ってるやつ？」

「自分で入れたわけじゃない」

「戸川くん、あんなバイクに乗るの」

「たまにさ」

「しっかり不良してるじゃない」

「タクシーにしようか」

「平気よ、病気じゃないんだもの。組の若い子は乗ってるけど、わたしはあんな大きいバイク、初めて」

二人してバイクのところまで歩き、麻子さんの持ってきた地図で新井恵子の家の見当をつけてから、赤いヘルメットを被《かぶ》せてやって、ぼくらはバイクを走らせはじめた。麻子さんが、大きいバイクに乗るのは初めて、と言ったのは、嘘ではなさそうだった。ぼくがエンジンを吹かすたびにひーっとかうーっとか叫んで、その上うしろでもぞもぞ尻を動かすもんだから、バイクの重心はなかなか安定しなかった。これでうしろから脇の下でもくすぐられたら、ぼくらは二人して、煙突の煙になってしまう。　麻子さんをうしろに乗せるときは、あまり昂奮させないほうがよさそうだった。

深大寺の近くで、鶴川《つるかわ》街道から西へ細い道に入ると、そのあたりも岩沢訓子の家のある付近に似た、建て売り住宅の並ぶ住宅街になっていた。バイクのスピードを最低に落とし、五分ぐらい走りまわっただけで、新井恵子の家はかんたんに見つかった。岩沢訓子の家よりもいくらか大きい感じではあったが、ブロック塀をはさんで、やはり両どなりから同じようなかたちの家に攻めたてられていた。ぼくは方位なんか気にする体質ではないが、その並びの家はみな、玄関が北に向いていた。

麻子さんを先に立てて、呼び鈴を押すと、新井恵子の母親らしい気の強そうな女の人がドアを開けてくれ、その人と入れかわりに新井恵子もすぐ玄関にあらわれた。ぼくの推理が当ったのか、それともただの偶然だったのか、やはり新井恵子は出かけていなかった。

ぼくたちの顔を見たときの新井恵子の表情は、葬儀場で森常夫や西岡和江が浮かべた表情や、昨夜雨宮君枝が岩沢訓子の家で見せた表情と、だいたい同じものだった。ぼくと麻子さんの組みあわせは意外といえば意外で、当然といえば当然なのだが、なぜ自分がそう思うのかが分らない、という表情だ。新井恵子にしてみれば、ろくに口をきいたこともないぼくらに訪ねられた理由さえ、見当もつかなかったろう。

戸惑った顔の新井恵子に、麻子さんが言った。

「ちょっと前に、訓子のお葬式が終ったの」

「え？　ああ……」

「村岡先生から連絡を受けたでしょう」

「母が受けたようだけど。岩沢さん、自殺したって？」

「昨夜がお通夜で、今日がお葬式だったわ」

「そうだってね、聞いてはいたけど」

「君に聞きたいことがあるんだ」と、麻子さんの肩ごしに、ぼくが言った。

「わたしに？　ええと……」

「岩沢のこと」

「ええと、だって……」

新井恵子はそれから、小さく家の中をふり返り、無理やり決心させられたような顔で、色のうすい髪を両掌《りょうて》で頭の上にかきあげた。

「あがってもらいたいけど、家、狭くて……深大寺の入り口に『リラ』っていう喫茶店があるの。そこで待っててもらえない？　すぐ行くから」

ぼくらは新井恵子の表情を観察しながら、一緒にうなずき、玄関を出てまたバイクに跨がった。ぼくが岩沢訓子の名前を出したときの、新井恵子の表情を見ただけで、今日の用件は半分以上終ったようなものだった。電話ではやはり、あの顔は見られない。新井恵子がぼくらを家に通さなかったのは、ぼくらが、家の者に聞かれては都合の悪い話をしに来た、ということを瞬間的に悟ったのだ。ぼくらを先に喫茶店へやったのは、もう一度顔を合わせる前に、頭の中を整理する時間が必要だったのだろう。

新井恵子には、そんな面倒なことをしなくてはならない、どんな理由があるのだろう。

新井恵子に言われた喫茶店を見つけ、窓ぎわの席に麻子さんと並んでアイスコーヒーを飲みながら、ぼくは新井恵子のことを思い出していた。ぼくが知っていて、そして思い出す気にもならなかったことは、ぼくと新井恵子は中学でも同級になったことがある、ということだった。三年のときではなかったから、二年か一年のときか。そのころから背が高く、色白でほっそりした女の子だった。男子の中にはなん人か新井恵子にのぼせていたやつもいたはずだった。それが高校に入り、二年になってまた同じクラスになったとき、ぼくはそのことを思い出しもしなかった。ぼくだけの勝手な好みの問題という可能性もあるが、たぶんそうではないだろう。

十分ほど遅れて、新井恵子は黄色い自転車に乗ってやって来た。赤いタンクトップに白いジーンズというせいもあったろうが、学校にいるときよりは幾分、華やいだ感じだった。口紅もつけていたし、爪にはうすいピンク色のマニキュアも塗られていた。

ぼくと麻子さんの前の席に座って、クリームソーダを注文してから、新井恵子が言った。

「お葬式はどこでやったの」

その切り出し方は、かなり肩の力が抜けたもので、ここまで来る間に頭の中で練習したのだろう。しかし葬儀の場所ぐらい、村岡先生だって、ちゃんと連絡をしているはずなのだ。

「府中の葬儀場よ。一時からだったわ」と、麻子さんが答えた。

「君とは中学でも同級になったことがあるよな。一年のときだっけ」と、ぼくが訊いた。

「二年のとき。竹内《たけうち》先生の担任で。覚えてないかと思ってた」

「今まで話す機会がなかっただけさ。岡宮悟《おかみやさとる》も一緒だったかな」

「一緒だった」

「あいつ、どこへ行ったろう。仲がよかったんだ」

「杉並《すぎなみ》の商業じゃなかったかしら。誰かに聞いたわ」

「クラス会なんて、やらないのかな」

「二年のときじゃね。三年のクラス会だったらやるけど」

「おれには一度も話がない」

「三年のとき、戸川くん一組だったでしょう。一組はクラス会、やってないんじゃないかしら。誰かに聞いたわ」

「君はいろんなことを、誰かに聞くんだな」

「だって、そういうことって、自然に耳に入るもの」

「岩沢が付きあっていた男は、誰?」

「え?」

「岩沢が付きあっていた男さ」

「だって、どうして……」

「誰かに聞いてるかと思って、さ」

「岩沢さんが、男の人と付きあってたの? そんなことちっとも知らなかった」

もぞもぞと動いて、新井恵子がジーンズの前ポケットから、煙草の箱と使い捨てのライターをとり出した。そしてぼくらの顔から視線をそらしたまま、一本をくわえて火をつけた。

「君が知らなければ、他には誰も、知らないだろうな」

「なんのこと？　言ってる意味が、分らないけど」

「岩沢のことさ」

「どうしてわたしが岩沢さんのことを、知らなくちゃいけないの。特別に親しかったわけでもないのに」

「特別に親しければ、彼女が誰と付きあっていたか、知ってるわけだ」

「それはそうでしょう。よくは、分らないけど」

「おれは君と岩沢が、特別に親しいのかと思っていた」

「どうして？　へんなこと言わないでよ。そんなことを言うためにわざわざ、来たの」

「そう。そんなことを言うために、わざわざ来たんだ」

新井恵子の目がきつくなり、その目でじっと、ぼくの顔を睨《にら》みつけてきた。いったいこの、おとなしそうな新井恵子のどこから、こんな迫力が出てくるのか。見かけほど気の弱い子ではないのだろう。

ぼくも目をそらさずに、少し、新井恵子のほうへ身をのりだした。

「君と岩沢が親しかった、と言ったことが、そんなにへんか」

「だって……」

煙草の灰が膝《ひざ》にこぼれて、それを新井恵子が唇をなめながら、さっと床に払い落とした。

「だって、急にそんなこと言われたら、やっぱりへんだと思うじゃない？　本当にわたしたち、親しかったわけでもないんだから」

「五月ごろ、君と岩沢をピンク・キャットで見かけた。おれがいたことには気づかなかったろうけど」

「ええ、だって……」

「わざとそばへ行かなかった。君たちが男と一緒だったから。パンチパーマをかけた、瘦《や》せた感じのやつ」

「ああ……」

新井恵子がまた舌の先で唇をしめらせ、煙草の火を灰皿でつぶしてから、それが癖なのか、両掌で顔の横にかかった髪を頭の上にかきあげた。その仕草で脇の下がぼくに見えることを、意識しているのかも知れなかった。

「さっきから戸川くん、あのことを言ってたの。最初からそう言ってくれれば、思い出していたのに」

「君が忘れているとは、思わなかった」

「だって、ねえ、あれ、偶然だったのよ。わたしが新宿へ映画を観に行こうとして、電車に乗ったらたまたま、岩沢さんと一緒になったの。同じクラスでしょう？　いくら親しくなくても、口はきくわよ。そしたら岩沢さんも、わたしと同じ映画へ行くところだったの。それで一緒に映画館まで行ったら、混んでて立ち見なのよ。立ち見なんていやじゃない？　だけどせっかく新宿まで出たんだからって、あのときはたしか、岩沢さんから誘われたのよ。戸川くん、あそこにいたの、ぜんぜん気がつかなかった」

「君はさっき、岩沢が付きあっていた相手に心当りはない、と言ったけど、ピンク・キャットで一緒だった男は、ちがうのか」

「そう言えば、岩沢さんは、知ってるみたいだった。だからもしかしたら、そうだったかも知れないわね」

「さっきはそう言わなかった」

「忘れてたのよ。だって、あそこに岩沢さんと行ったことさえ、忘れていたんだもの。だけど、どうして岩沢さんの相手に、こだわるの」

「岩沢が妊娠していたからさ」

「妊娠って、だって、どうして戸川くんが、そんなことを？」

「どうしておれが、知らないと思う？」

「だって……」

「だって、なに？」

「だって、岩沢さん、そんなふうに見えなかったもの」

「君は親しくもないのに、岩沢のことを観察していたらしい」

「なにが言いたいのよ？　はっきり言ってよ」

また新井恵子が髪の毛をかきあげ、肩で、大きく息をついた。

「今日のお葬式、わたしたちと学級委員の二人以外、クラスからは誰も来なかったわ」と、静かな声で、麻子さんが言った。

「それがどうしたの」と、麻子さんのほうに脚《あし》を組んで、新井恵子が訊きかえした。

「訓子はあなたに来てもらいたかったと思う」

「わたしは来なくていいと言われたのよ」

「来なくていいと？」

「だって、親しい者だけでいいって、そういう意味じゃない？」

「最近訓子と一番親しかったのは、あなたでしょう」

「だから、さっきから言ってるじゃない。わたしは親しくもなかったし、相手の男の人も知らないって。なん度言えば分るのよ。一度一緒にディスコへ行ったぐらいで、なんでわたしが岩沢さんのことを、ぜんぶ知らなくちゃいけないのよ」

「一度ではないからさ」と、ぼくが言った。

新井恵子がぼくのほうに首をまわし、組んでいた脚をほどいて、新しい煙草をゆっくり口へもっていった。

「残念ながら、君たちが一緒のところを、なん度か見ている」

新井恵子が煙草に火をつけ、その煙をふーっと、テーブルの上に長く吹きつけた。

「それがなんなのよ。わたしたちがディスコへ行っちゃ、悪いわけ？」

「かまわないさ。岩沢のことを話してくれれば」

「いい加減にしてよ。なによさっきから。ディスコぐらい行ったわよ。だからなんだっていうのよ」

「そろそろ喋って、いいんじゃないのか」

「だから……」

「本当は、君たちのしてることを、知ってるんだ」

煙草の灰がまた新井恵子の膝に落ちたが、今度はそれを、払おうともしなかった。その顔からは赤味が消え、そばかすが青い色に変わってくる。

「知ってるなんて、そんなの、嘘《うそ》よ」

「残念だったな」

「嘘に決まってる。そんなこと、嘘に決まってる」

「君が隠したがる気持ちは、分る」

「嘘よ、嘘」

煙草を指に挟んだまま椅子の音を響かせ、新井恵子が、すっと腰をあげた。

「なによあんたたち。なんの権利があってわたしに、そんなこと言うのよ。わたしがなにをしたっていうのよ」

「訓子は殺されたのよ」と、新井恵子に負けないぐらいの声で、麻子さんが叫んだ。

「嘘よ」

「嘘じゃない。あなたが知ってるじゃないの。知ってることを話しなさいよ」

「知らない、わたしはなにも知らない。あの子は自殺したのよ。ばかだからあんなことになったのよ。だいいちあんたはなに？　わたしがなんであんたに、そんなこと言われるのよ。お嬢さんみたいな顔してたって、あんたなんかヤクザの娘じゃないの。へんなこと言って、わたしからお金でも取るつもり？　いい加減にしてよ。あんたの顔なんて、見たくもない。口もききたくない。家にも二度と来ないで」

強くテーブルの角に膝をぶつけ、そしてそのまま、新井恵子が走るように喫茶店を出ていった。他の客がぼくらのほうを興味深そうに眺めていたが、新井恵子が出て行ったあとも、客たちはぼくらから視線を外すことを忘れていた。その客たちも、ぼくも、麻子さんも、誰もがみな、呼吸をすることも忘れているようだった。有線放送から流れるクラシックのBGMが、終りのない曲のように、いつまでもぼくの耳に響きつづける。

麻子さんをうながして、ぼくらは店を出た。クルマが通りすぎて、埃《ほこり》っぽい熱気がまいあがる。麻子さんのからだは上から下まで強張《こわば》っていて、歩き方さえ忘れているようだった。このままバイクに乗せたら、どこかでぽきんと、二つに折れてしまうかも知れない。

ぼくは麻子さんの背中を支えて、道路を反対に渡り、深大寺の山門へつづく散歩道のベンチまで連れていって、そこに腰をおろさせた。寒いはずもないのに、麻子さんは震えていた。腕には鳥肌が立って、まるで長い時間プールに入っていたときのように、歯をかちかちと鳴らしていた。

ぼくは麻子さんの肩に腕をまわし、もう一方の手で鳥肌の立っている麻子さんの二の腕を、静かにさすりはじめた。指で両膝を握りしめているせいか、麻子さんの腕もけいれんを起こしそうなほど強張っていた。

十分ぐらい、ぼくは同じリズムで麻子さんの腕をさすりつづけていた。麻子さんの顔にいくらか血の気が戻ってきて、鳥肌も消えて、からだからも力が抜けはじめた。それでもまだ麻子さんは両膝を強く握りしめていた。ぼくがその膝から指を剝《は》ぎとり、自分の掌で包んで、ゆっくりと揉みはじめた。麻子さんの額にも汗がうかびはじめて、呼吸の音も静かなものに変わってきた。

「蟬が、鳴いてる」と、自分で自分の意識に教えるような声で、麻子さんが呟《つぶや》いた。

麻子さんの言うとおり、たしかにやかましいほど蟬が鳴いていた。

「なんか、疲れちゃったな」と、大きなため息をついてから、ぼくに手を握らせたまま、麻子さんが言った。「わたしね、自分があんなにショックを受けるなんて、思ってもいなかった。自分からヤクザの娘だと言うときにはなんでもない……ちがうかな、やっぱりいくらか緊張するな。でも慣れたし、気にしないようにしてるし、人から言われても気にしないだろうって、ずっとそう思ってた。それがさっきね、あんなふうに面と向かって言われたら、目の前がまっ白になって、なにも見えなくなった。本当になにも聞こえなかった。ああ、戸川くんがいるなって、分ってたのはそれだけ。だらしなかったよね」

「一緒に来ないほうが、よかったかも知れない」

「それはいいの。これからもあることだし、慣れなくちゃいけないの」

麻子さんが額をぼくの肩に押しつけて、また小さくため息をついた。

「でも本当に、慣れるなんてこと、あるのかしら」

「慣れなくてもいいさ」

「どうして」

「おれが、いつも、一緒にいるから」

麻子さんが顔をあげて、ぼくたちはキスをした。遠くに何人か人が歩いていたが、ぼくたちは一分ぐらい、そのまま唇を合わせていた。その間は蟬も鳴くのを休んでいた。

「少し、歩くか」と、唇を離して、ぼくが言った。

うなずいて、麻子さんが立ちあがった。ぼくたちは深大寺の裏手の森に向かって歩きはじめた。いつの間にか蟬の声は戻っていた。

それから三十分ぐらい、ぼくたちは一言も口をきかず、日陰の道を選んでぶらぶらと歩いていた。今日ぼくたちがここへなにをしにきたのか、ぼくは思い出しもしなかった。

植物園の裏門まで来て、茶店の椅子に腰かけたとき、急に笑い出して、麻子さんが言った。

「中学生のデートみたい」

「いつかデートを申し込もう」

「一週間先まで、わたし、予約がいっぱいよ」

「そうか。それじゃとりあえず、トコロテンでも食べるか」

ぼくがトコロテンを買ってきて、また二人並んで、それを一本箸《いっぽんばし》ですすりはじめた。

「深大寺のダルマ市、来たことある？」と、酢の強さに顔をしかめながら、麻子さんが訊いた。

「昔……」と、ぼくが答えた。「祖父《じい》さんが生きてたころ」

「わたしも子供のころ、よく親父のあとについてまわったわ。屋台がいっぱい出るでしょう？親父と一緒に行くとね、べっこう飴《あめ》でもタコ焼でも綿菓子でも、みんなただでくれるの。ああ、わたしのお父さんて偉い人なんだなって、そのころはとっても嬉しかった」

「まさかうちの親父には、似てないよな」

「ぜんぜん。戸川くんのお母さんて、どういう人？」

「どういう人か、今でもよく分らない。なんていうか、一人で放っておいてもだいじょうぶって、そういう感じの人。本当はそんなこともないんだろうけど……君のお袋さん、春代という名前だって？」

「うん」

「三十年前、うちの親父と君のお袋さんもこんなふうにトコロテンを食ってたら、可笑《おか》しいな。なんだか知らないけど、ぜったい可笑しい」

しばらく黙って、紙皿の中のトコロテンを箸でかきまわしたあと、ちょっとあらたまった口調で、麻子さんが言った。

「さっき新井さんに、『君たちのしていることは知ってる』と言ったでしょう。あれは、どういう意味？」

「意味はなかった。新井がうっかり、口をすべらせないかと」

「刑事みたいだった」

「うちの親父は刑事だけど、刑事みたいじゃない」

「新井さんは、なにを隠してたと思う？」

「さあ」

「これから、どうする？」

「君を家に送る」

「事件のことよ」

「君は二、三日ゆっくり休むさ」

「戸川くんは？」

「明日もう一度新井に会ってみる。今日は失敗だった」

新井恵子が逆上したのは、ぼくの言葉が核心に直接触れたことだけが、原因ではないだろう。もっと基本的なミス、麻子さんと新井恵子では勝負がついているとはいえ、新井恵子の心の奥には麻子さんへの対抗意識がある。ふだんは押し殺しているその無意識の意思が、あの状況で一気に爆発した。一日時間をおけば新井恵子の頭も冷めるだろうし、ぼくが一人で説得すれば新井恵子の口も、たぶん情報を吐き出してくれる。とりあえずの突破口は、新井恵子なのだ。

「君のほうはクラスの女子から、岩沢や新井の情報を集める。それから三枝理事長の噂《うわさ》なんかも。それでなにか新しいことが分ったら、お互いに連絡をとりあう。そんなところかな」

バイクを置いたところまで戻り、夕方で混みはじめた甲州街道を麻子さんの家まで送って、ぼくは自分の家にひき返した。たまにはゆっくり部屋でも、片づけよう。

玄関を開けると、家の中で電話が鳴っていた。相手は雨宮君枝だった。雨宮と言われてもとっさには誰のことか、ぼくには思いあたらなかった。だいいちなんだって雨宮君枝が、電話なんかしてくるのだ。

「今、調布へ来てるの」と、妙に親しげな声で、雨宮君枝が言った。「思い出したことがあって……会える？」

「思い出したことって、岩沢のこと？」

「そう」

「電話では言えないのか」

「言えるわよ」

「じゃあ、言ってくれ」

「会ってから言うわ」

「どうして」

「戸川くんに興味があるの。出ておいでよ。麻子には内緒にしておく。戸川くんが来なければ、わたしも思い出したことは教えてあげない」

昨日岩沢訓子の家で会ったとき、変わった魅力のある子だな、とは思ったが、もしこの子と付きあっても面倒な関係にはならないだろう、という直感もあった。「行く」と返事をして、ぼくは電話を切った。

うす暗くなった調布駅の南口で、雨宮君枝は噴水前のベンチに腰かけていた。試合の帰りなのか、うすい水色のジャージに白いトレーナーを着て、膝には黄色い大きなスポーツバッグをのせていた。勤め帰りの人たちが暑苦しそうな顔で空を見あげては、噴水前の広場から市役所の方向に足を早めていく。

「本当はもう三回電話したの。さっきの電話で出なかったら、今日は帰ろうと思ってたの」と、駅の明かりを大きい目に反射させて、雨宮君枝が言った。

「連絡なら酒井にすればよかった」

「麻子に言ってもつまらないわ」

「おれに話したって、面白くはないさ」

「そんなことはわたしが決めるの」

「飯を食うけど、付きあうか」と、ぼくが訊いた。

「野菜サラダだけね」

雨宮君枝がベンチから腰をあげて、スポーツバッグを重そうに肩へかけた。

ぼくたちはそこから東急ストアのほうへ歩き、歩道に面した小さいレストランに入って、窓側に席をとった。小柄で化粧をしていない雨宮君枝は中学生ぐらいにしか見えなかったが、顔の表情は豊かで、なにかを一人で勝手に面白がっているような、好奇心の強い目をしていた。

「思い出したことって、なに？」と、一人で勝手にコーラを飲みながら、ぼくが訊いた。

「その前にたしかめておきたいの」と、テーブルに肘《ひじ》をついて、雨宮君枝がぼくのほうに身をのり出した。「あなたたち……戸川くんと麻子は、訓子は自殺じゃないと思ってるのよね。なぜそう思うのか、理由を聞かせてほしいの」

「君には関係ないさ」

「わたしに関係なければ、戸川くんや麻子にも関係ないわよ。わたしだって訓子のことは気にしてるわ。訓子の死が本当にただの自殺なら、麻子が訓子の男関係にこだわるはずはない。だいいち訓子が自殺するなんて、最初から考えられないものね」

「昨日はおれたちに、任せると言った」

「もちろん任せるわよ。ただわたしの気が向いたときだけ、ちょっと首をつっ込ませてほしいの」

「そういう問題では、ないだろう」

「分ってる。でもわたしにだって気分転換が必要なの。迷惑はかけない。それに今度みたいに、大事なことを思い出すことだってあるし。本当はね、昨日戸川くんと麻子が訓子の家に来たとき、かなりショックだったの。やられたなって。だけど相手が麻子じゃ、仕方ないものね。わたしのほうはこのとおり、朝から晩まで体操ばっかり。なんでこんなことをしてるのか、自分でも分らなくなるときがある。だから都合がいいとき、こうやって戸川くんとデートの真似ごとをしてみたいの。もちろん麻子には、内緒でね」

「思い出したことがあると言ったのは、嘘か」

「そこまで図々しくないわ。ちゃんと話してあげる。だからあなたたちが知っていることを、聞かせてよ」

運ばれてきた野菜サラダを、フォークで口に運び、口をもぐもぐさせながら、見開いた目で雨宮君枝がじっとぼくの顔を見つめてきた。することはエキセントリックでも、話はまともに通じる感じの女の子だった。

「警察は、岩沢のことを、自殺で片づけている」と、自分の食事にとりかかりながら、ぼくが言った。「検死でも溺死《できし》であることは間違いないし、遺書みたいなものもあった。自殺だと言われれば、そうじゃないとは言いきれない。だけどそれにしても、動機がまるで分らない。岩沢は発作的にそういうことをするタイプでもなかったようだし……君、今、酒井の家に電話できるか」

「できるわよ」

「番号を覚えていて?」

「覚えてはいないけど、アドレス帳を持ってる」

「岩沢のアドレス帳は見つからなかった。彼女だけそういうものを持っていなかったとは、思えない」

「遺書には、どんなことが?」

「両親に、ただごめんなさいって、それだけ」

「男の人はどういうふうに関係してるわけ？」

「岩沢は妊娠していた」

雨宮君枝の唇の動きがとまって、口笛でも吹きそうに、丸くすぼまった。

「四カ月？」

「四カ月だった」

「そのくせ相手の男の名前が、浮かんでこない。岩沢が隠そうとしていたらしい」

「訓子の妊娠の話、ここだけのこと？」

「知ってるのは家の人と、酒井とおれと、君だけ」

「わたし、口はかたいわ」

「分ってる」

「昨夜麻子が、電話で新井さんのことを訊いてきたけど、あれは、どういう意味？」

「新井がなにかを知ってることは、間違いないんだ。でもそれがなんなのかは、分らない」

「だいたいそんなところ？」

「そんなところ」

「でも訓子は、なんで四カ月になるまで……まさか、産む気だったとか」

「君から見て岩沢は、どういう子だった？」

「そう……」

雨宮君枝がフォークを下に置き、椅子の背もたれにからだをあずけて、ぼくの頭の上に表情のある視線を漂わせた。

「だいたい見たとおりかな」と、横目でぼくの顔を見て、雨宮君枝が言った。「ただ、意外とプライドは高かった。ちょっとむきになるところもあったわね。頭がよかったから、うまくごまかしていたけど。わたし、一度驚いたことがあるの。中学のときクラス対抗でバスケットの試合があったのよ。そのとき訓子が選手になってね、相手のチームの子とボールの取り合いになったの。ふだんの訓子からは信じられないけど、一瞬ヒステリーを起こしたみたいにむきになった。訓子にもこういうところがあるんだなって、びっくりした覚えがある。訓子って自分の性格を知っていて、いつも頭でバランスをとっていた気がする。でも頭でとるバランスなんて、いざというときには役にたたないわ」

「彼女が高校へ入るとき、経済的に無理をしていたことは？」

「なんとなくは、ね。訓子の口からは聞かなかったけど……訓子は麻子と同じ高校へ来たかったのよ」

「酒井は酒井の理由で、岩沢から距離をおいていた」

「家のことね」

「もし中学のときと同じように付きあっていれば、岩沢も今度みたいなことには、ならなかったと」

「麻子ってあれでけっこう、ロマンチストなのよね。でもわたしに言わせれば、考えすぎだと思うな。中学のときいくら仲がよくても、いつまでもべったりくっついてはいられない。訓子は訓子の生き方をして、訓子の死に方で死んだのよ。麻子のせいじゃないわ」

「岩沢が死んだのは、自分のせいだと」

「そういう意味じゃないの。ただね、他人の人生には誰も、責任なんかとれないということ」

一瞬目を伏せ、意志が強そうに口を結んでから、ぼくの顔を見あげて、雨宮君枝がにっと笑った。男だったら気の合う友達になれたろう。

「そろそろ君の情報を聞かせてくれ」と、残ったコーラを飲んでから、ぼくが言った。

雨宮君枝がよく光る目をぐるっとまわし、唇を湿らせて、またぼくのほうへ身をのり出した。

「戸川くんの話を聞くまでは、これがどれぐらい大事なことか、分らなかった。でも今は重大なことに思えてきた」

ぼくの反応をたしかめてから、雨宮君枝がつづけた。

「訓子が付きあっていた相手のこと。麻子に訊かれたときは学校の子や中学の同級生を考えたから、思い出さなかったの。昨日戸川くんが、訓子の家で風見先生のことを訊いたでしょう？訓子がファンだったかって。あのときもまだ思い出さなかった。それが家へ帰ってお風呂に入っていたとき、急に思い出したのよ。いつだったかわたし、訓子が風見先生のクルマに乗っているのを、見たことがあるの」

パズルがあまりにもうまく嵌《はま》りすぎて、とっさにぼくの口からは、言葉も出なかった。

「今年の二月か三月か、たぶんそれぐらいのとき。八王子《はちおうじ》の体育館で多摩地区の大会があったのよ。三時ごろ試合が終って、体育館から八王子の駅まで歩いていたの。それで甲州街道を渡ろうと信号を待っていたら、目の前をクルマが通って、そのクルマが風見先生のクルマだったの。助手席に女の子が乗っていた。横顔が一瞬見えただけだから、百パーセント訓子だったとは言いきれない。でも確率でどうかと言われれば、五十パーセント以上は、訓子だったと思う」

煙草が吸いたくなったが、あいにくこのときは、持って来ていなかった。

「そのクルマは、どっちの方向へ？」

「高尾山《たかおさん》のほうから府中のほうへ」

「だけどもしそのクルマに乗っていたのが、本当に岩沢だったとしても、彼女の相手が風見先生だという証拠にはならない」

「日曜日だったわ。学校の帰りになにかの用事で出かけたということは、ないでしょう？」

「風見先生の噂は、聞かない気がするけど」

「そんなの、やり方次第よ」

「たしかに相手が風見先生なら、辻褄《つじつま》は合う……」

ぼくは頭の中の考えを、口には出さず、コップの水で渇いた咽《のど》を湿らせた。やっと糸口を摑《つか》んだことの満足感と、その糸の先になにが結びついているのかが分らないことの不安が、ぼくの気分を苛立たせてる。

「ねえ、貴重な情報だったでしょう」と、ぼくの思考を探るような目で、雨宮君枝が言った。

「たぶんな」と、わざとそっ気なく、ぼくが答えた。

「どんな結果が出るか、楽しみにしてるわ」

「面倒な結果さ、たぶん」

「わたしのほうはただの野次馬だもの、気楽なものよ」

今日の用件はこれで終り、という表情で背筋をのばし、短い髪をふって、雨宮君枝が腰をあげた。一人で考えたい、というぼくの気分を、野次馬として感じとってくれたらしかった。

勘定を払って、雨宮君枝のスポーツバッグをぼくが持ち、白い街灯の下を駅の方向へ歩きはじめた。スーパーマーケットが閉まったせいか、人通りも来たときほどではなくなっていた。

「重いでしょう？　そのバッグ」と、ジャージのポケットに両手をつっ込んで、小石を蹴るように歩きながら、雨宮君枝が言った。

「君、本当に、あんなものしか食べないのか」

「国体までにあと三キロ減量するの。ボクシングの選手と同じよ。人間のからだって、限界まで贅肉《ぜいにく》を落としたときが一番いい動きをするの。わたしね、本当はオリンピックが目標なの。ぜったい出てみせるわ。そのときは見に来る？」

「行くさ」

「麻子と一緒に、ね」

「たぶんな」

駅前の噴水を通りすぎ、改札口へ通じる地下道の入り口で、ぼくがスポーツバッグを雨宮君枝の肩にかけさせた。バッグの重さが小柄な雨宮君枝の肩に、悲しいほど強くくい込んでいく。

「今夜は、ありがとう」と、雨宮君枝が言った。

口の中だけで、ぼくは「うん」と返事をした。

「相手が麻子じゃなければ、勝つ自信もあるんだけどな」

かすかに笑って、雨宮君枝が二、三歩あとずさった。

「気が向いたら、また電話するわ」

「うん」

「じゃあね」

「うん」

「今夜は本当に、ありがとう」

大きなスポーツバッグをひきずるようにかついで、雨宮君枝が駅の急な階段をおりていく。雨宮君枝は一度もふり向かず、ぼくは通路にそのうしろ姿が消えるまで待ってから、駅前の広場を自分の家にひき返した。


勉強をする気にはならず、部屋を片づける気にもならず、ぼくは居間のソファにひっくりかえってぼんやりとテレビを観ていた。将棋の駒を並べかえるように、事件のことをあれこれ頭の中でひねくりまわしてみるのだが、結論は出てこない。かりに岩沢訓子の相手が風見先生だったとしたら、それを証明するには、どうしたらいいのか。風見先生なら岩沢訓子が隠そうとしていた心理も分るし、通夜や葬式に風見先生が顔をみせた理由も納得がいく。だが逆に風見先生の立場に立ってみれば、火遊びの相手にわざわざ岩沢訓子を選ぶ必要があったろうか。ぼくと麻子さんが考えているように岩沢訓子の死が殺人であったとすれば、風見先生が犯人ということになる。岩沢訓子が妊娠して、どうしても子供を産むと言い張れば、教員としての立場は悪くなる。しかしそんなことがはたして、殺人の動機にまでなるものなのか。やはりこれは殺人ではなく、風見先生との仲を苦にした、ただの自殺だったのではないのか。もし殺人だったとして、風見先生と岩沢訓子の関係を証明できたとしても、自殺だったと主張されればそれまで。だいいち岩沢訓子が新井恵子と人知れず遊びまわっていた事実は、風見先生にどういう関係があるのか。それともそれら一つひとつの事実はバラバラに存在していて、岩沢訓子の死で偶然に結びついているように見えるだけなのか。喫茶店で新井恵子が言った、『あの子はばかだからあんなことになった』という言葉は、あれはいったい、どういう意味だったのか。ぼくなんかが予想しているよりも、新井恵子はもっと多くの事実を知っている。そのことも含めて警察にあとを任せるにしても、やはりまだ材料が少なすぎる。明日もう一度新井恵子に会って事実関係を整理してからでなくては、これ以上先へはすすめない。推理することと分るということは、決定的にちがうのだ。

親父が帰ってきたのは十一時をすぎて、テレビでプロ野球ニュースが始まろうとしている時間だった。親父はめずらしくくたびれたような顔でダイニングの椅子に座り、なんのつもりでか、じろりとぼくの顔を眺めてきた。

「夕飯は?」と、親父の前に腰かけながら、ぼくが訊いた。

「食う暇がなかった」と、ズボンのベルトをゆるめながら、親父が答えた。

「なにか食べる？」

「風呂のあとでビールをやればいい。ジャイアンツはどうした？」

「観てなかった」

「テレビをつけてくれ」

ぼくはダイニングのテレビをつけ、居間のテレビを切って、またテーブルへ戻ってきた。

「風呂は入れるよ」

「ああ」

「ビールの用意をしておく」

「ああ……なあシュン、おまえのクラスで、なにかあるのか」

「なにかって」

「分らんから訊いてるんだ。なにか問題が、あるのかどうか」

親父がテーブルに投げ出した煙草の箱から一本もらって、それに火をつけてから、ぼくが言った。

「言ってることの意味が、分らないな」

親父も煙草に火をつけて、ちっと舌うちをした。

「実はな、おまえのクラスの子が、今日また、一人死んだ」

呆気にとられて、ぼくは持っていた煙草を、あぶなく下へ落とすところだった。

「昨日のお返しに、ぼくをかつぐつもり？」

「俺は人間の死を冗談には使わん」

「死んだって、いったい誰が」

「新井恵子という子だ」

「新井……」

「クルマにはねられた」

「クルマに?」

「今夜の八時ごろだ」

新井恵子がクルマに轢《ひ》かれて、死んだって。「まさか」と声に出して言おうとしたが、たしかに親父はこんなことで、冗談を言う人間ではない。親父は新井恵子の名前すら知らないはずなのだ。

「父さん、本当に、本当の話?」

「本当に本当だ」

「いったい、どこで」

「自宅の近く。深大寺の南側の、あまり人通りの多くない道だ」

「相手のクルマは?」

「まだ分らん」

「轢き逃げ?」

「そういうことだ」

「それはその、つまり……」

「故意の轢き逃げか、偶然の事故かっていうことか」

「そう」

「それもまだ分らん。正式な現場検証は明日の朝だ。今のところ目撃者も見つかっていない。最初は俺もただの事故だと思ったんだが、調べてみたら被害者が深大寺学園の生徒だという。それもおまえのクラスだ。一昨日《おととい》一人自殺して、今日もまた一人轢き逃げされた。もちろんただの偶然で、向こうは自殺、こっちは交通事故。そういう可能性もある。ただ偶然にしては、ちょっとつづきすぎる。確率的に、そういう偶然というのが、どれぐらいあるものか。被害者の母親によると、今日の午後、被害者の同級生というのが二人訪ねて行ったらしい。人相を訊いてみると、それがどうも、俺の知っているやつらしいんだ。これがもし故意の轢き逃げだとすると、その二人が重要参考人になる」

やっぱり親父は、昨日ぼくが麻子さんの母親のことでからかった一件を、根にもっているのだ。

「思うんだけど、その二人にはクルマの運転が、できないだろう」

「なぜおまえに分る？　心当りでもあるのか」

「父さんと同じぐらいにね」

「なあシュン、これは探偵ごっことは、わけがちがうんだぞ。いったいどういうことだ」

「岩沢と新井は、友達だったのさ」

「一昨日自殺した娘と、今日轢き逃げされた娘が、か」

「そう」

「友達って、ただの同級生以上に？」

「そう。二人してかなり遊び歩いていたらしい。おかしいのは二人がそういう関係だということを、二人とも、隠そうとしていたこと」

「つまりおまえと酒井組の娘は、一昨日の件は自殺ではない、と思ってるわけだな」

「二人が内緒でなにをやっていたか、岩沢を妊娠させた相手が誰なのか、それを新井に訊きにいったんだよ」

「喋ったか」

「ぜんぜん。明日もう一度会って、訊くつもりだった」

「おまえは、新井恵子は知っている、という感触をもったんだな」

「間違いなくね」

「明日会えば訊き出せたと思うか」

「確信はないけど、もしかしたら」

「つまり、二つの事件がどこかで関係しているとすれば、先を越されたという、そういうことか」

親父が煙草を灰皿でつぶし、ぼさぼさの髪に指をつっ込んで、二、三度大きくかきまわした。目は壁と天井の境目あたりを睨んでいて、プロ野球ニュースは観ていなかった。どっちみちジヤイアンツは、負けたのだ。

「今度の轢き逃げは、父さんの係になるの」と、ぼくが訊いた。

「たぶんな」と、半分うわの空で、親父が答えた。

「新井のお袋さんは、新井のことで、なにか言ってた？」

「おまえらと会ったあと、どこかへ電話をしてたらしい。それから友達のところへ行くと言って、家を出たそうだ」

「自転車で？」

「自転車はなかった」

「服装は？」

「赤いランニングシャツみたいなやつに、白いジーパンだった」

「ぼくたちが会ったときと同じだな。自転車で行けるほど近いところではなかったけど、わざわざ着がえて行くほど、あらたまったところでもなかった」

「まだ探偵ごっこをつづけるつもりか」

「参考意見だよ」

「いいか？　これがもし殺人で、前の件もそうだとしたら、おまえらが遊び半分で首をつっ込むこととは、わけがちがうんだぞ。もちろんただの事故という可能性もあるが、だからって必要以上に首をつっ込むのはやめておけ。捜査は警察に任せればいい。おまえがやるのは夏休みの宿題と、健全な男女交際だけでいいんだから」

親父がため息をつきながら、よっこらしょと腰をあげ、ぼくに一瞥《いちべつ》をくれて、そのまま風呂場へ歩いていった。ぼくはしばらくぼんやりしていてから、親父のためのビールと肴を用意して、またダイニングの椅子に座りこんだ。本当だとは分っていても、新井恵子が死んだことの実感は、まだ湧いてこなかった。

新井恵子の死。いったいこれは、どういうことなのだろう。ぼくが新井恵子に会ったのが今日の四時ごろ。それから四時間後に、新井恵子は何者かのクルマに轢き逃げされた。八時といえばちょうどぼくが雨宮君枝を調布の駅へ送って行ったころだ。あの時間に、新井恵子が死んだのだ。偶然の事故なのか、故意の轢き逃げなのか。まだ結論が出ていないとはいえ、偶然と考えるには少し無理がある。新井恵子が死んでしまったことによって、岩沢訓子の件に関する糸口が消えてしまった。親父の台詞《せりふ》ではないが、犯人に先を越されたのだ。岩沢訓子の事件では警察も動いていなかったのだから、犯人が先を越した相手はこのぼくと、酒井麻子。そこまで考えると、ぼんやりしていた新井恵子の死が、急に実感をもって、強くぼくに迫ってきた。新井恵子はぼくに対する口ふうじのために殺された。たったそれだけの理由で、そしてそれがすべての理由で。ぼくは頭をうしろから誰かに思いきり殴りつけられたような、絶望的な気分になった。たしかに新井恵子は岩沢訓子の死の真相を、知っていたかも知れない。岩沢訓子と遊びまわっていたかも知れない。しかしだからといって、そんなことぐらいで人間が、殺されていいものか。ぼくへの口ふうじで殺されたのだとしたら、新井恵子の死は直接、ぼくの責任になる。ぼくがつまらない正義感をもち出したばかりに、新井恵子は殺されるはめになった。

殺される理由があったからって、殺されてもかまわない、という理屈にはならない。ぼくはやはりこの事件を、ゲームとしか見ていなかったのだ。新井恵子を一人の人間として見ていなかった。ゆさぶりをかければ自分の欲しい証言を吐き出す、自動販売機ぐらいにしか考えていなかった。ぼくさえもう少し慎重に動いていたら、新井恵子の死は避けられた。酒井麻子と新井恵子を比較して、勝手に『勝負はついている』などと決めつけ、新井恵子の立場になって考えることができなかったのだ。岩沢訓子のときもそうだったが、その他にはその他の人生があることを、なぜぼくはいつも、忘れてしまうのだろう。

親父の言うとおり、こんなことは警察に任せておけばよかったのだ。新井恵子の死で岩沢訓子の死もただの自殺でないと分った以上、もうぼくたちに出番はない。あとは警察がやってくれる。犯人だって趣味で二人を殺したのでないかぎり、死にもの狂いになっている。これ以上ぼくらが首をつっ込みつづければ、次にやられるのはぼくか、酒井麻子になる。ぼくか、麻子さん。ぼくだって死にたくはないし、酒井麻子のほうはもっと、死なせるわけにはいかない。要するにぼくと麻子さんに関しては、この事件はもう、終ったのだ。

ぼくの頭の中で、一応の結論が出かかったころ、親父が例によってバスタオルを腰に巻いてのっそりと風呂場から戻ってきた。熱い湯に長くつかりすぎたせいか、からだじゅうが蒸気だらけになっている。

「シュン、おまえ、隠してたことがあったな」と、椅子に座ってコップをぼくの目の前につき出しながら、親父が言った。

親父のコップにビールを注いでから、ぼくが答えた。

「父さんに隠してることなんて、いくらだってあるさ」

「世の中には隠していいことと、悪いことがある」

親父は無表情にビールを呷《あお》り、頬《ほほ》をふくらませて、ふーっと大きく息を吐いた。

「なんの話さ」

「担任の先生について、なぜ今まで隠していた」

「なんのことか分らないな」

「おまえの担任がどういう先生になったかぐらい、一応父親に報告してもよかったんじゃないのか」

「言ったよ。女の先生で、英語を教えてるって」

「俺の言ってるのはつまり、顔とか、姿とか……」

「村岡先生に会ったの」

「まあ、念のためにな。クラスの生徒がつづけて二人も、死んだわけだし」

親父がわざと無表情なのは、内心の動揺をおさえているせいなのだ。顔が赤くなっているのはどうやら、風呂あがりのせいだけではないらしい。

「おまえが一言《ひとこと》言っておいてくれれば、俺も恥をかかずに、済んだのに」

「どうして村岡先生に会って、父さんが恥をかいたのさ」

「どうしてか知らんが、なんとなく、恥をかいた」

「父さんが勝手に恥ずかしがっただけだろう。要するにびっくりしたんだ、村岡先生があんまり、きれいなんで」

親父はビンごとビールをひったくり、コップの大きさの倍ぐらいもビールを注いで、それを一気に咽へ流しこんだ。

「ジャイアンツはどうした？」

「負けたよ」

「原《はら》は打ったか」

「原が打たないから負けたのさ」

だいたい担任の先生の顔のかたちまで、父親に報告する息子が、どこにいる。

「先生は、どんな様子だった？」

「そりゃあ、びっくりしていた。話を訊くのが気の毒だったな。三日の間に教え子が二人も死んだら、無理はないだろうが。あの先生のためにも早いとここの事件の片を、つけにゃならん」

どうも言ってることの辻褄が、おかしい。

「それで父さんは、ぼくの父親だってことを、先生に自白したの」

「言わんわけにはいかんだろう。おまえが一言言っておいてくれれば、もうちょっと……」

「もうちょっと、なにさ」

「その、床屋ぐらいは、行っておいたんだ」

こいつは大変だ。親父は村岡先生に、どうやら一目《ひとめ》惚《ぼ》れしたらしい。親父の気持ちも分らなくはないが、問題は相手だろう。村岡先生はまだ二十七か八で、親父のほうは四十七だから、歳だけを計算したって分《ぶ》が悪い。

「それで……」と、観てもいないくせにテレビのほうを向いたまま、親父が言った。「あの先生は、独身なのか」

「そうだと思うよ」

「一人住まいのようだったから、そうかなとは思ったが、まだ三十にはなっていないだろう」

「二十七か八」

「決まった相手でも、いそうか」

「知らないよ」

「なかなか、その、センスのいい人だ」

本当なら笑い出すところだが、親父がへんに真剣なので、ぼくの顔も神妙になる。

「今どきの若い女にしちゃ、めずらしく、しっかりした感じだしな。部屋も落ちついた雰囲気だった」

「父さんは新井恵子のことで行ったんだろう」

「そりゃそうだが、商売がら、いろんなことを観察する」

「先生はどこに住んでるの」

「吉祥寺《きちじょうじ》だ。おまえは担任のことを、なにも知らんのか」

「ふつうは家まで知らないよ」

「吉祥寺の、ちょうど井の頭《かしら》公園を見おろせるマンションに住んでる。『パーク・ビュー』って名前のマンションだ。公園通りに面してはいるが、クルマの音もほとんど聞こえない」

いったい親父は、どこまで本気なのか。四十七にもなったオヤジの身を十七歳の息子が心配しても仕方ないが、風邪《かぜ》だって歳をとると、なおりにくいという。

「それより、事件のことなんだけど」と、冷蔵庫から新しいビールを出してきて、ぼくが言った。「岩沢訓子のほうのさ」

「まだ参考意見があったのか」

「これが最後だよ。岩沢は妊娠していたろう。だけど相手が分らないんだ。特定の男とデートをした形跡もない。それがうちの学校の、風見という先生のクルマに乗っているのを、見た子がいる。その先生は一年のとき、岩沢や新井の担任だった。岩沢の通夜と葬式にも来ていた。もちろん男の先生で」

「いくら岩沢訓子が器用でも、クルマに乗っただけでは、妊娠なんかせん」

「だからただの参考意見だよ、そういうことがあったという。捜査はもう父さんに任せた」

「是非そう願いたいな。おまえや酒井組の娘にもしものことがあったら、目もあてられん。とくに酒井組の娘、これ以上事件に首をつっ込ませるなよ。思いつめて独走するタイプらしいから」

「母親に似たんだろうね」

「なんだと」

「分ってるよ。もう探偵事務所は店じまいさ」

空になった親父のコップに、ゆっくりと、ぼくがビールを注ぎ足した。

「それからもう一つ……」

「まだあるのか」

「岩沢の遺書、正式な筆跡鑑定をやったの」

「両親が娘のものだと確認してる」

「正式の鑑定は?」

「あの時点では必要と認められなかった」

「やりなおしはできるよね」

「必要とあれば……」

「やったほうがいいと思う」

「そう思うか」

「なんとなくね」

「一応は検討してみる。それだけか」

「それだけ」

「ところでシュン、俺の黄色いポロシャツは、どこにある」

「黄色いポロシャツ?」

「前によく着てたやつだ」

「五年ぐらい前だろう」

「そんなにはならん」

「なるさ。ぼくが小学校のときだよ」

「それならそれでいいが、あれはどこにある」

「捨てたよ」

「気に入ってたんだがな」

「去年買ったサマーセーターは、どうしたのさ」

「署の若いやつにやっちまった。ちょっと派手なような気がして」

「似合ってたのに」

「そうだったか」

「新しい服が欲しいの」

「まあ、な」

「どんな感じの」

「どんな感じってことはないが……」

聞かなくても、本当は分っている。親父が欲しいのは、今度村岡先生に会ったとき恥ずかしい思いをしなくて済む服、なのだ。そしてできれば、村岡先生がなにか勘ちがいをして親父と付きあってみる気をおこしそうな服、でもある。しかしいったいそんな都合のいい服が、この世の中に、あるのだろうか。

「要するに、今の流行《はやり》で、それでいて父さんぐらいの歳の人にも着られて、ちょっと洒落て見える服、だね」

「かんたんに言えば、そういうことかな」

「明日買っておくよ」

「そうしてくれるか」

「ズボンのサイズは?」

「変わらない」

「吉祥寺のデパートにでも行ってくる」

「ああ」

「クルマも買ってこようか」

「なんのことだ」

「ポルシェかＢＭＷか」

「クルマはまだいい。今のが気に入ってるんだ」

「思うんだけど、ねえ父さん。村岡先生には赤いＢＭＷなんか、似合うんじゃないのかな」

4

親父は親父の理由で、ぼくはぼくの理由で、前の晩は酔いつぶれるより他に眠りこむ方法が見つからなかった。際限なくビールを飲みながらジャイアンツのふがいなさを愚痴《ぐち》りつづける親父に、最後まで付きあったが、それから先のことはよく覚えていなかった。

気がついたときにはもう窓に日が射していて、起きだしてみるとひどい頭痛だった。おまけに吐き気までして、今日中に雨がふってくれなければ、明日にはたぶん、ぼくは死んでいる。ダイニングのテーブルにはビールの空ビンが十本、一列にきれいに並んでいた。ビールの空ビンにも腹が立ったし、それが並んでいることにも腹が立った。親父は酔っぱらうと飲んだビールのビンを、ていねいに並べる癖があるのだ。

親父が部屋から出てきて、ぼくの顔を見ても口をきかず、妙にむっつりした顔で新聞をとりにいった。宿酔《ふつかよい》をぼくに気づかれまいと、親父なりには努力をしているつもりらしかった。

ぼくは味噌汁《みそしる》だけつくって親父に飲ませ、仕事に送り出したあと、自分では頭痛薬を飲んでしばらく居間のソファにひっくり返っていた。クーラーをつけているわけでもないのに寒気がするし、自分が起きているのか眠っているのかも、あまりはっきりとしなかった。

一時間もそうやっているうちに、頭痛薬が効いてきたらしく、心臓の音さえ響いていた頭の痛みがうすらいできて、ぼくはダイニングへ新聞をとりにいった。そこの椅子に腰かけて新聞を開いてみると、三多摩《さんたま》版の一番下に、新井恵子の記事が十行ほどのっていた。親父の言っていたとおり、名前と学校名と、時間と場所だけの内容だった。こんなあつかいではまだ麻子さんも、読んではいないだろう。

今日は最初から、麻子さんに電話をしないことに決めていた。勝手に探偵事務所を閉めた理由が説明できそうもないし、やはり新井恵子のことで気分が落ちこんでいた。今日一日ぐらいは一人でぼんやり、神経に休息をあたえたかった。三日前、お袋に呼び出されて以来、生活のリズムが忙しすぎた。今日は一日じゅう居間でテレビを観ていてもいいし、自分の部屋でフレドリック・ブラウンを読んでいてもいい。

ふと、それでもなにか用事があったような気がして、コーヒーの豆をひきながら、ぼくはダイニングを眺めまわした。酒屋にビールを届けてもらうこと、食糧の買い出しに行くこと。それから、急に思い出して、思わずぼくは苦笑した。親父の服だ。それも村岡先生に気に入られそうな、流行《はやり》でシブくて洒落た服。いくらか冷静になった頭で考えると、やはりそれは、少しばかりハードルが高すぎる。村岡先生みたいな女の人が四十七にもなったこぶつきの男やもめに惚れてくれる確率は、一対七の負け試合を九回の裏からジャイアンツが逆転するよりも、低いだろう。

「まあいいや」と、パーコレータを火にかけながら、声に出して、ぼくは独り言を言った。散歩がてらに吉祥寺をぶらぶらするのもいいし、この前観そびれた『コットンクラブ』を観てきてもいい。今日みたいなぼんやりした頭の日は、すれちがう女の子がみんなきれいに見えて、もしかしたら意味もなく幸せな気分になれるかも知れない。

ぼくは沸いたコーヒーを時間をかけて飲み、酒屋に電話をしてから、風呂場へ行って熱い湯にどっぷりとつかりこんだ。頭痛自体はおさまっているのに、それでいて頭はまだぼんやりしているし、からだには力は入らないし、妙だが、それほど悪い気分ではなかった。

洗濯を済ませ、一時ごろぼくは家を出た。乗ったのはバイクではなく、調布駅の北口から出る吉祥寺行きのバスだった。祖父《じい》さんが生きていたころはこのバスでよく、深大寺の植物園や井の頭公園に連れていかれた。ぼくが小学校にあがった年に祖父さんが死んで、それからは一人で吉祥寺まで映画を観に出かけた。そのころの吉祥寺は駅前のアーケードやデパートもなく、闇市《やみいち》のような小さい商店のかたまりと映画館が三軒ぐらいあるだけの、静かな町だった。日曜日など、ぼくはその三軒の映画館をはしごしてまわったこともあった。小学生のぼくが十時すぎに家へ帰っても、お袋はその日一日、ぼくが家をあけていたことにも気づかなかった。

バスが玉川上水《たまがわじょうすい》をすぎ、公園通りに入ったとき、ぼくは昨夜親父が言った村岡先生のマンションのことを思い出した。『井の頭公園を見おろせて、公園通りに面している』マンション。だとすれば今バスが走っている、ちょうどこのあたりだ。ぼくはバスの窓からそれとなく、道の両側を眺めまわしてみた。マンションらしい建て物はいくつもあったが、村岡先生はベランダに出て、ぼくに手をふってはいなかった。やがてバスが停留所に入るためにスピードを落としたとき、左側の歩道ぞいに『パーク・ビュー』という文字が入っている建て物が目に入って、終点より一つ前の停留所ではあったが、反射的にぼくはバスをおりた。暇にまかせて、そのマンションを見物する気にでもなったのだろう。

『パーク・ビュー』はそれほど大きい建て物でもなかったが、白い地にうすいレンガ色を配色した落ちついた雰囲気で、一階に商店はなく、地下には駐車場がついているらしかった。ぼくはバス停のそばの自動販売機でコーラを買い、通りを反対側へ渡って、公園のベンチに腰をおろした。欅《けやき》がいい具合に日陰をつくっていたし、マンション見物にも手ごろなロケーションだった。

下から数えてみると、その建て物は八階建てで、どの窓にもレンガ色のベランダに白い鉄の柵《さく》が渡されていた。親父も部屋の番号までは言わなかったので、どの階のどの窓が村岡先生の部屋なのか、見当はつかなかった。ぼくは自分の担任教師である村岡先生について、なにを知っているだろうかと、頭痛薬の効いている頭でぼんやりと考えた。村岡先生のほうは、たとえばぼくや麻子さんの家族構成や、生年月日から中学校での成績まで、およそ必要とも思われないことのほとんどを知っている。逆にぼくは村岡先生がどこの出身で、どこの学校を出て、兄弟がなん人いるのかも分らない。結婚だってしているという噂《うわさ》を聞かないから、たぶんまだ独身《ひとり》なのだろうと思っているだけのことだ。教師と生徒の関係なんて、そんなものだろうと言ってしまえばそれまでだが、考えてみれば、これはおかしい。毎日顔を合わせていて、しかも一人の女性としてまんざら無関心でもないくせに、その相手の身上は一切知らないのだから。

頭の中に思い描いた村岡先生の顔に、親父の顔が重なってきて、ついぼくは本気で考えていた。親父が村岡先生に一目惚れしてしまったことは、まず間違いはない。親父が初めて会った女の人にあれほどのぼせるというのも、めったにはない。それどころか親父の歳を考えれば、女に惚れること自体、死ぬまでもう二度とないかも知れないのだ。こいつは冗談では済まないぞ、とぼくはますます本気になって頭をひねりはじめた。早く新しい彼女を見つけろ、と毎日親父をせっついているのは、このぼくではないか。それはそうなのだ、たしかに、それはそうなのだが。

　村岡先生の男の好みというのは、どんなものだろう。生まれとか育ちとかになにか欠陥があって、髪もとかさない、ネズミ色の替ズボンをはいてろくに髭《ひげ》も剃《そ》らない、自分より二十も歳上の男しか愛せないという、特殊な性格をしていてくれるだろうか。いくらなんでも、それでは冗談がきつい。逆に親父のほうがもう少しなんとかなれば、可能性らしきものが、出てくるのか。歳の差は、これは仕方ない。村岡先生だって今の歳まで独身《ひとり》でいるのだから、もしかしたら、若い男では頼りない、と思っているのかも知れない。きれいすぎる女には案外、ファザコン的な傾向もあるという。親父がもう少し風体をととのえて、それでポルシェかＢＭＷでこのマンションに乗りつけたら、村岡先生もドライブぐらいは、付きあう気になってくれるか。むずかしい問題のような気もするが、最初からあきらめては話がすすまない。村岡先生だってなにか勘ちがいして、一度ぐらいデートする気にならないともかぎらないし、その日の体調で親父のことを気に入らないともかぎらない。そしてうまく間違って、結婚ということだって、まあ、まったく完全に、ぜったいにありえないとも言いきれない。もしそうなったら、村岡先生が、ぼくのお袋になる。理屈からいえばどうしたって、そういうことになってしまう。村岡先生がぼくのお袋になって、ぼくに食事をつくってくれたり、洗濯をしてくれたり、掃除をしてくれたり。親父と三人で朝飯を食べ、親父は警察へ、ぼくと村岡先生は一緒に学校へ。夕飯だって今までみたいに魚かなにかを焼くだけではなく、村岡先生のことだから、きっと料理の本にでも出てくるような洒落たものを食べさせてくれる。親父だって毎日早く帰ってきて、三人で、あの一家だんらんとかいう、恥ずかしい時間をすごすのだ。そしてぼくは受験勉強のために自分の部屋へあがり、親父と村岡先生は親父の部屋に入って、そうだ、まさか二人して、一晩中将棋をさしている、というわけではないのだ。毎晩下でそんなことをされて、ぼくに勉強しろと言われても、無理な話だ。こっちは親子で向こうは夫婦なんだから、それぐらいの不公平は認めるとしても、ぼくの神経が、我慢してくれない。ここは一発親父のために涙をのんで、ぼくがどこかにアパートでも借りるか。それともお袋のところへ行くか。

ふと、あまりにも空想がすすみすぎていることに気がついて、思わずぼくは赤面した。やはり頭が本調子ではないのだ。芯《しん》の部分がゆるんでいて、空想にブレーキがかからない。これはこれで悪い気分ではないが、現実と非現実の境目が自分の意志力では、掴みきれなくなっている。頭痛薬の量を間違えたのか、それとも新井恵子が殺されたというショックが、まだ抜けないのか。

ぼくはコーラを飲みほし、空カンを捨てるために、近くのゴミ籠《かご》へ歩いていった。『パーク・ビュー』の出入り口から男の人が一人出てきて、公園通りにとめてあった白いクルマへ歩きだした。相手がこちらに注意をはらっているわけでもないのに、とっさにぼくは欅の陰に身を隠した。自分とは関係のない人間を、関係のある場所で三日もつづけて見かけるという偶然が、眠っていたぼくの注意力を呼び醒ました。三枝理事長が、なんだって村岡先生の住んでいるマンションから、出てくるのか。三枝理事長も同じマンションに住んでいるのか。三鷹で、大手とまではいかないがかなり大きな建設会社をやっているというなら、まさかこれぐらいのマンションを住居にしている、ということはないだろう。だいいちここが住居なら、クルマなんか道にとめないで地下の駐車場に置けばいい。理事長はやはり、村岡先生を訪ねてきたのか。私立高校の理事長と教師、関係があるといえば、関係はある。しかし夏休みにわざわざ理事長のほうから教師を訪ねて来るほどの、どんな関係があるのか。それともこれはただの偶然で、三枝理事長はこのマンションに住む誰か、べつな人間を訪ねて来ただけなのか。

ぼくは三枝理事長の白いクルマが走り去ったあとも、欅の木にもたれかかって、三十分ほどぼんやりとマンションを眺めていた。公園通りを走るクルマは排気ガスと埃を舞いあげ、森の奥では子供が疳《かん》だかい声で喚《わめ》いていた。もし理事長と村岡先生が、男と女の関係だったら、親父の恋は、どうなってしまうのだ。

自分が今日、なにをしに吉祥寺へ来たのかを思い出して、ぼくが繁華街の方向へ歩きだしたとき、マンションの出入り口から村岡先生があらわれた。村岡先生は日に灼《や》けていないからだに白いショートパンツと生成《きな》りの綿《めん》シャツを着て、足にはかかとの低い赤いサンダルをはいていた。肩には大きいバッグをさげていたが、遠くに出かける様子には見えなかった。

村岡先生が繁華街の方向へ歩きだし、ぼくもつられて、道の反対側を、ゆっくりと歩きはじめた。少しうしろめたい気分を感じながらも、五十メートルほどの間隔をとって、ぼくは村岡先生のあとを尾行《つけ》ていった。村岡先生は交差点を渡ってステーションビルに入り、二階から三階へと、小さい店々の間をあてもなさそうに歩いていた。たぶんなにも用はなく、散歩を兼ねた買い物かなにかだろう。

　ぼくにとってこれは生まれて初めての尾行だったが、やってみると意外にかんたんだった。相手に警戒はなく、それに人混みというのは注意さえおこたらなければ、こっちも人混みの中にまぎれることができる。ぼくは村岡先生がランジェリーショップで下着を買ったり、本屋の棚の間を一巡りしたりするあとを、怪しまれることもなく楽についていった。村岡先生のショートパンツからのびた二本の脚《あし》が、完全に目の奥に焼きついて、今夜あたり夢に見るだろう。

　村岡先生がステーションビルを北口に出て、アーケードのほうへ歩きだしたのをたしかめてから、ぼくは西友側にその道を先まわりした。伊勢丹側からぼくがアーケードのほうへまわりこむと、村岡先生はまだ露店の花屋の前を、のんびりとこちらに向かってくるところだった。

　あと七、八メートルのところで村岡先生がぼくに気がつき、一瞬足をとめてから、またゆっくりとぼくのほうへ歩いてきた。ぼくも声をかけることまでは決めていたが、言葉の種類までは決めていなかった。

「こんにちは」と、とりあえず、ぼくが言った。

「夏休みにしてはよく会うわね」と、視線をぴたりとぼくの顔にすえて、少し口の端を笑わせながら、村岡先生が言った。「今日は、一人？」

「はい」

「めずらしいわね」

「これがふつうです」

「どこかへ行ってきたの」

「いえ、映画でも観ようと思って」

村岡先生が細めた目で周囲を見渡し、肩をすくめるように首をかしげて、一瞬、右の眉をもちあげた。

「戸川くん、新井さんのことを、お父様からお聞きになった？」

「親父が昨夜、先生のところへお邪魔したと」

「お父様が直接伝えに来てくださったの。いったいどうなっているのか、わたし、もう混乱して」

「昨夜のは交通事故です」

「でも岩沢さんのことがあったばかりでしょう？　自分のクラスの子がつづけて二人も亡《な》くなるなんて、いくら偶然でも、ねえ、どうしちゃったのかしら、今年の夏は」

「先生、今、時間がありますか」

「あるけど」

「買い物に付きあってもらえます？」

「買い物？」

「親父の服です」

「そう」

「選んでもらえれば」

「でも……」

「昨夜会ったでしょう」

「でも、昨夜はどんな方か、拝見してる余裕はなかったし、わたしが選んでお気に召すかしら」

「お気に召しますよ。先生が選んだものなら、親父はふんどしでも町を歩きます」

村岡先生がその気になってくれて、ぼくらは肩を並べて東急のほうへ歩きだした。今日の村岡先生は化粧っけがなく、輪郭のきれいな唇に口紅も塗っていなかった。ショートパンツにサンダルばきの村岡先生というのも、学校ではぜったいに見られない風景で、いつもは紺かグレーのタイトスカートに白いブラウス、季節によってはその上にジャケットを着るだけという、婦人警官といくらも変わらない服装なのだ。それが今日はまるで、十代の女の子みたいな恰好をしている。どっちがいいとも言えないのは、どっちもいいからだ。自分のとなりを歩いている女の人がクラス担任の先生だということを、つい忘れそうになって、ぼくはズボンのポケットに入れた手で自分の太ももを、いやというほど抓《つね》ってやった。そうでなくてもこの人は、親父が一目惚れした女の人なのだ。

公園通りを渡って東急に入り、エスカレータで紳士洋品売場へあがって、そこでぼくらは親父の服を選びはじめた。だいたいはぼくが選んで村岡先生がうなずくだけだったが、親父にとってはこの『村岡先生がうなずいた』という事実が肝心なのだ。このことを言ってやったら親父は感激して、涙を流すにちがいない。

ぼくらはサマーセーターを二枚に白い綿のブルゾンを一枚、それに合うようなうすい色の綿パンを二本買って、またエスカレータで一階に戻ってきた。この服装で黒い革靴をはかせるわけにもいかないので、ベージュ色のタウンシューズも買い足した。買い物をしている間は村岡先生もいくらかは気がまぎれたらしく、ぼくに向かって意味もなく、にっこり笑ってくれたりもした。こんなふうに毎日微笑《ほほえ》みかけられるような事態になったら、やっぱりぼくは家を出て、アパートを借りるしかないだろう。

「コーヒーでもおごります、お礼に」と、東急を出て、公園通りを伊勢丹側へ渡りながら、ぼくが言った。

デパートへ入る前に一時間もステーションビルの中を歩いていたわけだから、ぼくもくたびれていたし、村岡先生も疲れているはずだった。

「ばかなことを言わないでよ。教師と教え子がデートの真似ごとみたいに、喫茶店なんかへ入れないわ」

言われてみれば、一理はある。誰かに見られて教育委員会に告げ口をされないとも、かぎらないのだ。

「まあ、そうですね」

「冗談よ」

「そうですか」

「おごるならわたしがおごります。一応は立場があるもの」

微笑みかけて、途中でやめ、少し間をおいてから、村岡先生が言った。

「よかったらわたしの家に来ない。近くに小さい部屋を借りてるの。お父様からお聞きにならなかった?」

「そこまでは」

「コーヒーなら喫茶店よりもおいしいのを飲ませてあげる」

「はい」

「本当はね、今日戸川くんに会えて、わたしのほうが助かったの。この前も言ったけど、あなたとゆっくり話したいことがあるのよ。わたしも買い物に付きあったんだから、あなたも付きあいなさい。いいこと?」

「はい」

「今日もバイク?」

「いえ」

「帰りはわたしがクルマで送ってあげる。その荷物を持ってバスに乗る恰好なんて、戸川くんには似合わないわ」

村岡先生の部屋は四階にあったが、部屋番号は五〇六号になっていた。部屋の位置は建て物の一番北端、ぼくが外で見物していた場所からはもっとも離れた位置だった。中は六畳の部屋が二つで、一つは寝室に、一つは居間に使われていた。家具とカーテンはすべてグリーンの濃淡で配色され、居間のほうには観葉植物の大きな鉢が二つ置かれていた。親父が『落ちついた雰囲気』と感じたのは、部屋の整理が理由だろう。埃《ほこり》一つ見えないように片づけられているのではなく、それでいてテーブルの上にも台所の棚にも、不必要なものはなにも置かれていないのだ。ベランダに洗濯物すら干されてなく、ぼくは部屋の中に男の人の気配を探してみたが、それも見あたらないようだった。

村岡先生が小さい台所でコーヒーをいれてくれている間、ぼくは濃いグリーンのカーペットに置かれたうす緑色の座布団に座って、感心しながら部屋の中を眺めていた。同世代の女の子の部屋とは、やはり雰囲気がちがう。壁に映画俳優や歌手のポスターは見えず、ベッドの上に間抜けな顔のばかでかいぬいぐるみも置かれていなかった。おとなの女の人の部屋というのは、こういうものなのか。

「アイスコーヒーにする?」と、おとし終ったコーヒーのポットをぼくに見せながら、村岡先生が訊いた。

「ホットで」と、ぼくが答えた。

村岡先生が台所でコーヒーを二つのカップに注ぎ、木の盆にのせて、それをテーブルへ運んできた。テーブルは昔の円いちゃぶ台だったが、それも淡い緑色に塗られていた。

「お砂糖は?」

「いえ」

「ミルクは?」

「いえ」

「生意気なのね」

村岡先生がぼくの前に膝《ひざ》をくずして座り、コーヒーカップを差し出して、一つため息をついた。

「すぐクーラーが効いてくるわ」

「はい」

「お飲みなさいな」

「はい」

そのコーヒーはペーパーフィルターでおとしたやつで、ぼくがいれるパーコレータのコーヒーよりは、舌ざわりが上品だった。

「キリマンジャロをベースにして、アイスコーヒー用の豆を三分の一入れてあるの。少しにがい？」

「いえ。ちょうどいいです」

「遠まわしに言っても仕方ないから、率直に言うけど、わたし、戸川くんに協力してほしいの」

「みんなにもっと勉強するように言え、とか」

「冗談を聞くために、あなたを連れてきたんじゃないのよ」

「はい」

「わたしのクラスでなにが起こっているのか、教えてほしいの。学校の中で、今、わたしの立場が微妙になっているの、今度のことで特に」

「でもわたしに責任をとらせたがってる人もいるの。分る？　教師だってただの人間だもの、人の好き嫌いもあるし、派閥もあるわ。わたしのことを快く思っていない人たちにとって、今度のことは絶好の機会なの。特に岩沢さんの件では、担任が自殺の原因すら知らないんですものね。ふつうの生徒にこんな話はできないけど、あなたなら分るでしょう」

村岡先生の目がぼくの顔の上で動かなくなったので、ぼくのほうが視線を外した。ぼくはもう探偵事務所を閉めているし、知っていることを話して村岡先生から情報をもらったほうが、親父の捜査をすすめさせる上でも、都合がいい。

「先生を快く思っていない人たちって、誰のことですか」と、ぼくが訊いた。

「一番は今井《いまい》先生でしょうね。それに岩田《いわた》先生。いろんなことを校長先生に吹きこんでいるらしいわ」

「いろんなことって」

「訊くのはわたしのほうでしょう」

「必要なのは信頼関係です」

「戸川くんはわたしのことを、信頼していないわけ？」

「ぼくが先生のことで知ってるのは、名前だけです」

村岡先生が座りなおし、下を向いて、くすっと笑った。

「たしかに信頼関係は必要よね。それに協力してほしいのは、わたしのほうなんだし」

村岡先生の太ももが気になって仕方なかったが、ぼくはなるべく、そっちは見ないようにした。

「その、『いろんなこと』ですけど……」

「よくあるやつよ。わたしの私生活がどうだとか、男関係がどうだとか」

「風見先生との噂なんかで？」

「知ってたの」

「最近聞きました。専門家の意見では、ただの噂だということです」

「お茶ぐらいは飲んだわ。何度かね」

「岩田先生とも、お茶を？」

「そう。そしたら結婚してくれ、と言われたわ」

「もちろん断った」

「申しこまれる毎にいちいち結婚していたら、からだがいくつあっても足りないでしょう」

「先生はなぜ、結婚しないんですか」

「しなくてはいけない？」

「独身主義だとか」

「そんなことはないわ。今はただ仕事が面白いだけ。わたし、父が早く死んで、アルバイトをしながら大学を出たの。三枝さんが父の古い友人だったので、そのお世話で深大寺学園に勤められたのよ。今がわたしの人生で一番落ちついたときかしら。この仕事も、この学校も好きなの。一度問題を起こして辞《や》めさせられた教師なんて、かんたんに使ってくれる学校もないでしょうしね。お世話になった三枝さんのためにも、わたしがへんなふうに責任をとって辞めるわけにはいかないのよ。ただ三枝さんがわたしの側に立ってくださるのが、校長先生には面白くないのかも知れないけど」

なるほど、そういうことか。三枝理事長と村岡先生がそういう関係なら、親父にも登場のチャンスがいくらかはある。それに村岡先生がお父さんを早く亡したということなら、父性愛とかいうやつに飢えている可能性もある。これはひょっとすると、本当にひょっとするのか。

「なに？」と、ぼくの顔をのぞきこんで、村岡先生が訊いた。

「はい？」

「今、笑わなかった？」

「いえ、その、風見先生のことですけど、やっぱり先生に、結婚を？」

「それは、まだ」

「そのうちには？」

「たぶんね」

「答えは？」

「ノーよ」

「タイプじゃないわけですね」

「専門家が言ったの」

「はい」

「酒井さんでしょう」

「女の子っていうのは、みんな噂評論家です」

「それでだいたいは、当っているわけね」

コーヒーを一すすりしてから、ぼくが訊いた。

「風見先生が女生徒と問題を起こしたようなことは、ありましたか」

「今度のことと、関係があるの」

「もしかしたら」

村岡先生もコーヒーを口に含み、探るような目で、ちらっとぼくの顔をうかがった。

「あまり職員同士のことは言いたくないけど……」

「あるんですか」

「三年ほど前に一度、あったらしいわ。あまり大きな問題にはならなかったけど。風見先生は校長先生の遠縁なの」

「最近の噂は？」

「聞かないようね。でも誘惑はあるんじゃないかしら」

今度はぼくのほうが事件の説明を始める番で、ぼくの話で村岡先生が教師としての自信をなくしたとしても、それは村岡先生の問題だ。

「先生は岩沢が妊娠していたことを、知ってましたか」

「なんのこと?」

「妊娠です、ふつうの意味の」

案の定村岡先生の顔色が変わり、うすい下唇が一瞬、内側にめくれこんだ。

「だって、そんなこと、お家《うち》の方もおっしゃらなかったわ」

「言いふらすことではありません。四カ月だったそうです」

「あんな真面目な子が?」

「女なら妊娠ぐらい誰でもできるそうです。親父の意見ですけど」

「自殺の原因は、それだったの」

「もしかしたら自殺ではないかも」

「まさか。だって、警察で……」

「最初は警察も自殺で処理していたけど、新井のことで、岩沢の事件もやりなおすと思います」

「やっぱり新井さんのことが、関係あったの」

「と言うより、岩沢と新井に、関係がありました」

「あの二人に、関係?」

「二人は秘密の遊び友達でした」

「秘密の遊び友達って」

「先生だってクラスの中で、誰と誰が仲が良くて、誰と誰が仲が悪いとか、それぐらいの見当はつくでしょう」

「それは、だいたいは」

「岩沢と新井が、二人でディスコ通いをしていたなんて、考えられますか」

「岩沢さんと新井さんが、二人で……」

「クラスの他の女子さえ気がつかなかった。岩沢も新井も、先生やクラスのみんなが思っていたような、ただ真面目でおとなしいだけの生徒ではなかった。もう一つ分らないのは、岩沢を妊娠させた相手です。新井だけは知っていたと思います。知っていたから、新井は殺された」

「殺された？」

「親父はその線で捜査をするはずです」

「つまり、岩沢さんも？」

「たぶん」

村岡先生のからだがうしろにくずれ、濃いグリーンのカーペットに白い腕と脚が大きく投げ出された。とっさにぼくは腰をうかせたが、村岡先生のからだが倒れきるのには、間に合わなかった。

ぼくが村岡先生の頭の下に手を入れて、抱きおこすと、村岡先生は肘《ひじ》で自分のからだを支え、だいじょうぶだ、というようにぼくの手の中で強く首をふってみせた。

「信じられる？ 教え子が二人も、自殺や事故ではなくて、殺されたなんて……」

それはぼくにではなく、自分の部屋の壁に向かって呟いた言葉だった。ぼくは村岡先生の背中から手を離し、立て膝になって、横からしばらく村岡先生の顔を眺めていた。目が大きく見開かれているのは怒りや悲しみのせいではなく、困惑と恐怖からのものらしかった。

五分ほど黙って、大きく息を吐いてから、ぼくのほうを向いて、村岡先生が言った。

「戸川くん、お水、くれる?」

ぼくが台所から水を持ってくると、村岡先生が目をつぶってそれを一息に飲みほし、からだを立てなおして、胸の奥から一つ、大きく息を吐いた。ぼくは元の場所に戻ってカップをとりあげ、底に残っていたコーヒーの残りを、ちょっと口に含んだ。

「そんなことって、本当にあるものなの?」と、いつもの教室での顔に戻って、村岡先生が言った。

「そのうち証拠も見つかります」

「あなた、よく平気な顔をしていられるわね。感情がないみたい」

「死んだ祖父さんの躾《しつ》けです。親父に責任はありません」

「さっき、風見先生のことを訊いたのは?」

「風見先生のクルマに岩沢が乗っていました。岩沢も一人で妊娠はできません」

「まさか……」

「風見先生以外に岩沢の周囲からは、男の名前が出てきません。もちろん偶然だった可能性も、あるけど」

「だけどあなたの言うことを聞いていると、岩沢さんを妊娠させた男が岩沢さんを殺し、その発覚を恐れて新井さんも殺したように聞こえるわ。それでもし……」

「可能性を言っただけです、というより、第一案かな。どっちにしてもこれは、親父の仕事です。先生も親父に協力をしてください。岩沢や、新井のためにも」

「お父様には、なんとしても犯人を捕《つかま》えていただかなくては……それにしてもそんな恐ろしいことが、わたしのクラスで、起こっていたなんて」

村岡先生が台所に立ち、バッグから煙草の箱をとり出して、灰皿を持ってテーブルへ戻ってきた。

煙草に火をつけ、自嘲《じちょう》っぽく微笑みながら、村岡先生が言った。

「戸川くん、わたしのことを、軽蔑しているでしょう。自分のクラスで起こっていることも知らないで、よく教師でございます、なんていう顔をしていられると。仕事が面白いとか、好きだとか、そのくせ責任をとりたくないだとか……いったいわたし、なにを考えていたのかしら。これでは生徒に軽蔑されても、仕方のない教師よね」

「煙草《たばこ》、もらえますか」

村岡先生がテーブルの上に煙草の箱を押し出し、一瞬その手をとめて、くすっと笑った。それからまた少しぼくのほうへ押しなおし、今度は首を小さくふって、教師のものではないしかめっ面をつくってみせた。

「岩沢さんも新井さんも、なぜわたしに相談してくれなかったのかしら。やっぱり、頼りなかったのかな。自分の保身しか考えないような、こんな教師では……」

ぼくにだってそのとき、「先生の責任ではない」とか、「悪いのは犯人だ」とかいうぐらいの台詞は思いついたが、それを言葉に出しても意味がないことは、分っていた。ぼくは煙草をもらって村岡先生のライターで火をつけ、天井に向かって、ふーっと煙を吐きだした。クーラーの風に流されて、煙がものすごいスピードで部屋の中にまぎれていく。

「こんなことはみんな忘れて、海にでも行ってしまいたいわ」と、自分の煙草の先を見つめながら、村岡先生が言った。「そんなふうに思うこと自体、教師として未熟な証拠かも知れないけど」

村岡先生も、たぶんぼくの返事なんか、期待してはいなかった。ぼくはなにも答えず、煙草を一本吸いおわるまで、黙って天井を眺めていた。親父の言ったとおり、公園通りを走るクルマの音は聞こえなかった。

「帰ります」と、煙草を灰皿でつぶして、ぼくが言った。

「送って行くわ」と、村岡先生がぼくのほうに顔をあげた。

「一人で帰れます」

「一人で帰れるのは分っているわ。でも送って行きたいの。わたしもこのまま一人で部屋にいたら、気が滅入《めい》ってしまう」

村岡先生が立ちあがり、寝室へ歩いて、居間との境にある緑色の襖《ふすま》を、ぴったりと閉めた。ショートパンツの自分の脚がぼくの精神衛生に悪影響をあたえることに、やっと気がついたらしかった。

村岡先生がラフなチノパンツとTシャツに着がえ、コーヒーカップを流しに出して、クーラーを切り、ぼくたちは一緒に部屋を出た。繁華街の喧噪《けんそう》が四階の踊り場まで、どよめきのように押し寄せる。今日買った服を親父が着て、このドアの前に立った光景が頭にうかんで、なんとなくぼくは、恥ずかしい気分になった。事件は事件、これはこれ。そう思ったって、たぶん、いいのだろう。

地下の駐車場に置いてあった村岡先生のクルマは、ホンダの白い新車だった。夏休み前までは古いカローラに乗っていたはずだから、夏のボーナスで買いかえたのか。村岡先生でさえ新車を買えるというのに、親父がフォルクスワーゲンのポンコツに乗っているという現実は、減点材料になる。いくら村岡先生が『今どきの若い女にしてはしっかりしている』といっても、ポンコツよりは新車のほうがいいだろう。親父のクルマについては思っていたよりも、ずっと緊急な案件かも知れなかった。

調布駅までの道は村岡先生が知っていたので、ぼくは親父の恋の行方《ゆくえ》について、とりとめもなく思いをめぐらせていた。クルマが京王線の踏切りを渡り、市役所の前をすぎて左と右に一度ずつ曲がると、もうぼくの家に着く。子供のころは付近にまだ畑が残っていた気もするが、今は住宅しか建っていない。その住宅街の中でぼくの家だけ小さい森のように見える。こんな古くてばかでかい家に男が二人だけで住んでいるわけだから、近所ではどうせ、変わり者の親子だと思っている。幽霊屋敷だ、という噂がたたないだけ、ありがたいようなものだった。

クルマのまま門を入り、玄関への途中で村岡先生がクルマをとめたとき、庭のすみでは奇妙な光景が展開中だった。親父がホースで水を撒《ま》いていたのだ。それもステテコに長靴というスタイルで。親父がこんな時間に家にいること自体めずらしいのに、おまけに今日は水まで撒いている。それだけならたんにめずらしい現象というだけで済ませてもいいが、ステテコというのは、どんなものだろう。

ぼくは三つの紙袋をさげて、ぶらりと、親父のほうへ歩いていった。ぼくのうしろに女の人がいることは知っていたろうが、どうせまた女子大生でもひっぱり込んだぐらいに思ったらしく、親父はふり向きもしなかった。

「ずいぶん早いね」と、ホースの先を気持ちよさそうに振りまわしている親父に、ぼくが声をかけた。

「しばらく休みもとってないしな」と、まだ村岡先生には気づかずに、親父が答えた。「聞き込みは若い連中にやらせてる」

「酒屋からビールが届いてたろう」

「冷蔵庫に入れておいた」

「父さんが」

「他に誰がいる」

「誰もいないからさ、訊いたんだよ」

ふり返った拍子に親父の目が、やっと村岡先生に届き、開いたままのかたちで親父の口が、ぴたりと静止した。ホースを下に落とさなかったという事実だけが、かろうじて親父の、人生経験だった。

「昨夜はありがとうございました。なにもおかまいできなくて」と、ちゃんとおとなに対する喋り方で、村岡先生が言った。

親父のほうはただ一声、「あーっ」と叫んだだけだった。

「吉祥寺で会ったんだよ。父さんの服も先生が選んでくれた」

「ああ……」

「どこか、具合が悪いの？」

「ああ、どうして」

「こんなに早く帰ってきてさ」

「具合が悪けりゃ、水なんぞ撒かん。早く先生に中へ入ってもらえ。こんな所に立たせておいたら、日本脳炎になっちまう」

親父の顔からはホースで水をかぶったように汗が流れていたが、暑さとは関係ないようだった。親父が村岡先生にしつこく中へ入るようにすすめ、村岡先生も承知をして、ぼくと村岡先生は玄関から、親父は居間のほうからそれぞれ家の中にひきあげた。親父が今日に限って早く帰ってきたのは、恋をした人間特有の、霊感のようなものか。

居間のソファには親父がとり込んだ洗濯物が投げ出してあったが、とりあえずぼくはそれをお袋が使っていた部屋につっ込み、村岡先生にはそのソファに座ってもらった。

自分の部屋に消えていたはずの親父が、急に顔を出して、ぼくに言った。

「おまえがつくる、あのなんとかっていうレモン水な。先生には、あれがいいんじゃないのか」

「分ってるよ」

「レモンはあるのか」

「あるよ」

「俺は番茶がいい」

「分ってるから、早く着がえておいでよ」

親父がうんとうなずいて、自分の部屋に戻っていき、ぼくのほうは台所へまわって、つくったレモンスカッシュを村岡先生のところに持っていった。

村岡先生はクーラーの効いた居間のソファに背筋をのばして座り、呆れたような顔で部屋の中を見まわしていた。天井の高さだけでも最近の家とはつくりがちがうから、初めての人にはそれだけでもめずらしい。

親父もすぐにやって来て、軽い咳《せき》ばらいのようなものをしながら、村岡先生の向かいに腰をおろした。親父が着てきたのは紺の浴衣《ゆかた》だった。これでもぎりぎりの決断で、浴衣なんて一度も着ない夏は、いくらでもある。

「昨夜は突然にお邪魔をして、失礼をいたしました」と、着るものを着て落ちついたのか、あらたまった口調で、親父が言った。

「失礼はわたくしのほうでした」と、村岡先生もあらたまって、また挨拶《あいさつ》をやりなおした。

「お茶を差しあげるのも忘れてしまって。昨夜は、混乱していたものですから」

ぼくは村岡先生にレモンスカッシュをすすめ、番茶をいれるために台所へひきあげた。どうせ二人はしばらく、挨拶合戦をやっている。

ぼくが番茶をもって居間に戻ってみると、案の定親父は、雨がふらないので芝生が枯れかかっている、というようなことを、真面目《まじめ》くさった顔でくどくどと喋っていた。村岡先生も相槌《あいづち》をうっていたが、天気に関心がある顔にも見えなかった。

「昨夜のことで、なにか分った?」と、親父の側に座って、ぼくが訊いた。村岡先生だって天気なんかの話よりは、そのことに関心がある。

「現場の目撃者があらわれん」と、番茶を一すすりして、親父が言った。「たぶん出てこないだろうな。意外に人通りの少ない道だし」

「新井はなぜ、そんな道を歩いていたんだろうね」

それが分れば苦労はない、という目で、ちらっとぼくの顔を眺め、また親父が番茶をすすった。

「昨日の五時ごろ、被害者が家の近くのバス停から、三鷹行きのバスに乗ったのを目撃した者がいる。今若いやつに足取りを追わせているが」

「中央線に乗ったのかも知れない」

「まあな。中央線に乗ったとすると、足取りをたどるのは、むずかしいかも知れん」

「現場検証は、どうだった?」

「手がかりが、無くもなかった」

「ただの事故ではなかった、ということですか」と、少し、村岡先生が華奢《きやしや》な肩をのり出した。

親父がその村岡先生とぼくの顔を見くらべ、判断をしかねるように、ちょっと眉をもちあげた。

「ある意味では、今度のことでは先生が一番の被害者だよ」と、ぼくが言った。「それに父さんには、一番の協力者だし」

あとのほうの台詞《せりふ》が功を奏したのか、しばらく間をおいてから、親父が口を開いた。

「通常、人を轢いた場合の運転者というのは、その場で急ブレーキをかけて一度クルマをとめ、そこで事後処理を考える。救急車を呼ぶなり、被害者を病院に運ぶなり、あるいはそのまま逃げ去るなり。急ブレーキをかけるからこそアスファルトにもタイヤ痕《こん》が残るわけだ。ところが昨夜の現場にはブレーキを踏んだ痕跡《こんせき》がみとめられない。つまり運転者が極度の酩酊《めいてい》状態か、薬物の中毒症状かなにかで人を轢《ひ》いたことに気づかなかったか、あるいは……」

「最初からブレーキを踏む意志が、無かった」

「そういうことだ」

「父さんはどっちだと思う?」

「一応は、後者だな。ただ検死の結果では、死因は脳挫傷《のうざしよう》でほとんど即死だったろうということだ。まともな人間がしらふで、そこまでためらいもなく人一人を轢き殺せるものか……まあ、クルマを見つけてみれば分ることだ。ウインカーの破片が遺体のそばで見つかったし、そのほ

「ウインカーの破片だけで、クルマを見つけられるものですの」と、頼りなさそうな声で、村岡先生が訊いた。

「時間はかかりますが、だいたいはなんとかなるものです」と、きっぱりと親父が言い切った。「かならず発見してみせます。ご安心下さい」

親父と村岡先生が見つめあって、二人が同時に、そっとうなずいた。親父の男らしさがいくらかは村岡先生にも伝わったかも知れないが、ステテコのイメージが、これでどれぐらい割り引きされるか。

ここは一つ、親子の義理で、親父の掩護《えんご》射撃をする。

「先生、今夜は夕飯を、一緒に」

「え?」

「そうだ。それがいい。そうだそうだ」

「帰っても気が滅入るだけでしょう」

「そうだそうだ」

「話してるうちに事件の手がかりになるようなことを、思い出すかも知れないし」

「そうだそうだ」

「父さん」

「なんだ」

『そうだそうだ』以外の言葉も、喋れるだろう」

「そうだ、そうだな、登喜和鮨《ときわずし》でもとるか」

「あそこは調布で一番まずいと言ったのは、父さんだよ」

「そうだ、な。これから渋谷《しぶや》へでも、出かけるか」

「先生はそんな気分じゃないよ」

「それもそうだ」

「ぼくがつくるよ」

「またハンバーグか」

「父さんだって好きじゃないか」

「そりゃあ、そうだ」

「あのう……」と、静かに村岡先生が話に入ってきた。「さっきから気になっていたんですけど、お手伝いさんは、お休みを？」

「そういうのは、おらないんです」と、親父が答えた。

「いないって」

「要するに、つまり、いないわけですな」

「だって、奥様はたしか……」

「そうなんですが」

「それでお手伝いさんも置いていないということは、まさか、このお邸《やしき》に、お二人で？」

「そういうことになりますなあ」

村岡先生が呆気にとられた目で、まじまじとぼくと親父の顔を見くらべ、気が抜けたように、ほっと息をついた。やっぱり他人には、変わり者の親子に見えるのだ。

「それでは、あの、ふだんのお料理とか、洗濯とかは」

「二人でまあ、なんとかやっております」

二人でだって。刑事のくせに、よく平気でそんなことが、言えるものだ。

「そのう……」と、番茶をすすって、親父が一つ咳ばらいをした。「シュンのやつに、少し気むずかしいところがありまして、わたしが家政婦を雇うと言っても、なんといいますか、わけの分らん他人を家に置くのはいやだとかなんとか。それでつまり、ご覧のようなあり様なわけです」

嘘つきは泥棒の始まり、と怒ってみても仕方はない。親父もぼくの顔を見ようとしないから、内心では心苦しく思っているのだろう。

村岡先生がソファに深くからだを沈め、下を向いて、くすくすと笑いだした。こんなふうに本当におかしそうに笑う村岡先生は、学校でも見かけない。

「笑ったりして、ごめんなさい。でも最初からなにか、おかしいような気はしていましたの。お父さまがご自分で水を撒いていたり、戸川くんがお茶を運んできたり。まさか本当にお二人だけでお暮しだなんて、信じられませんわ」

「親父は家事が得意ですから」と、ぼくが言った。「掃除や片づけや洗濯なんか。ねえ父さん？」

「うん、まあ、そういうことだ」

「でもやっぱり、ご不自由ではありません？」

「今のところはなんとか。わたしとしては、倅《せがれ》と気の合う女性だったら、まあ、家に入ってもらってもかまわんとは、思っておるのですが。なあシュン」

「いつもそう言ってるね」

「そうだそうだ。いつもそう言ってる」

「戸川くんとしては、お父様が再婚なさることに、反対なの」

「いえ。親父はたぶん、ぼくがひがまないかと、心配してるんでしょう」

「そうだ、そんなところだ」

「そんなところだそうです」

村岡先生がまた笑って、今度は微笑みの残った目で、ゆっくりとぼくと親父の顔を見くらべた。

「わたくし、夕食をご馳走《ちそう》になりますわ。かまいません？」

同時に、ぼくと親父は、勢いこんでうなずいた。

「それにもしかまわなければ、わたくしがなにかおつくりしますわ。これでも一応は女ですから」

今度も同時に、ぼくと親父は、前よりももっと勢いこんでうなずいた。ぼくに文句があるはずはないし、親父のほうは感激で、今にも泣きそうな顔だった。

それにしても、なんという話の展開だろう。順調すぎて怖いぐらいだ。こうなったらもう冗談で済まされない。村岡先生だっていくら一人で部屋へ帰りたくないといっても、この家や親父に好感をもたなければ夕飯を食べていく気にはならないだろうし、まして自分でつくってぼくたちに食べさせようなどと、思うはずもない。女の人が男に料理をつくる気になるのは、相手を気に入った証拠ではないのか。

買い物も村岡先生が行ってくれることになり、ぼくは渋る親父を説きふせて、無理やり村岡先生のおともに送り出した。親父はお袋がいたときでさえスーパーの食品売場なんて行ったことはないのだから、たまにはこういう経験をさせる必要がある。

ぼくは二人が出かけたあと、家の中と外の電気をつけてまわり、洗濯物をたたんでそれぞれの場所に配ってから、風呂の仕度《したく》をして台所も片づけた。途中一度電話が鳴ったが、居留守をつかわせてもらった。誰からのものか、だいたいの見当はつく。

二人が並んで帰ってきたときの光景は、まったく、記念写真にでも撮っておきたいようなものだった。浴衣を着て、両手にスーパーマーケットのレジ袋をぶらさげている親父の姿を見たら、お袋は気絶するだろう。髪の毛が濡《ぬ》れるぐらい流れている頭からの汗は、レジ袋の重さとは無関係。家事が得意な親父としてはまさか、生まれて初めてスーパーの食品売場へ行ったことなど、口が裂けても言えなかったのだ。

親父を風呂場へ送りこんでから、ぼくと村岡先生は二人で食事の仕度にとりかかった。ぼくのほうは食器を出したり調味料のある場所を教えたり、村岡先生のまわりをうろうろしていただけだった。村岡先生の料理の腕は、幸か不幸か、英語を教えるより上だった。

できあがった料理はヒラメのバター焼きと、中華風に味つけをした牛肉のステーキ。それに色どりの見事なサーモンサラダだった。一緒に食品売場をまわりながら村岡先生に訊かれて、親父が『ヒラメのムニエルは好物だ』と答えたというのだから、これは仕方がない。食べ物の好みなんてそのうちゆっくり覚えてもらえばいいわけだし、もし本当に村岡先生が結婚してくれるということにでもなれば、好みなんか親父のほうが変えればいいのだ。どうしてもイワシの丸干しが食べたければ、女になんか、惚れなければいい。

買い物の中にはなぜかワインも含まれていて、親父がぎこちない手つきでグラスに注いでまわり、なんとなくぼくらは乾杯した。テレビかなにかで見て、親父も一度そういう真似をしてみたかったのだろう。村岡先生はグラスに口をつけただけだったが、親父はやはり昂奮《こうふん》していて、一本の白ワインなど十分とはもたなかった。

ぼくの嗜好《しこう》からいって、村岡先生の味つけは、ほとんど完璧《かんぺき》だった。塩加減のわりにこくがあり、胡椒《こしょう》とにんにくの効き具合がちょうどいい。こんな料理を毎日食べられるというのに、アパートを借りなくてはならないというのも、残念なことだ。親父についても、たぶん味は分っていないのだろうが、この晩餐《ばんさん》に関しては大いに満足そうだった。ナイターを観る気にもならないというのは、よほどのことなのだ。村岡先生も自分が行ったアメリカの話などを聞かせてくれて、昼間よりはずっと屈託のない表情になっていた。今日の一回だけでなく、『毎日こんなふうに食事をするのもいいかも知れないな』と村岡先生が思ってくれれば、もうこっちのものだ。

食事が一段落し、ぼくがいれたコーヒーを三人で飲みはじめたとき、また電話が鳴った。

二回コールを聞いてから、ぼくが言った。

「父さん、出てよ」

「どうして」

「どうしてもさ。今日だけでいいから、頼むよ」

親父が渋々腰をあげ、電話のほうへ歩きかけた。

「ぼくにだったら、いないって。今日は帰って来ないって」

受話器をとりあげた親父が、ぼくが言ったとおりの台詞を告げたところをみると、相手はやはり麻子さんらしかった。話しはじめれば長くなるし、まだ麻子さんと長話をする気分にはならなかった。

席に戻ってきて、ぼくらの様子を興味深そうな顔で見くらべている村岡先生の目を気にしながら、親父が言った。

「シュン、なにか、用がありそうな感じだったぞ。なんで自分で出ない」

「都合があってさ」

「都合って」

「いろいろさ」

「まさか、おまえ……」

「だいじょうぶだよ」

「だから、父さんの考えてるようなことは、だいじょうぶさ」

村岡先生がいなければ親父の攻撃もつづくにちがいないが、その場はとにかく、もの分りのいい父親役を演じてみせてくれた。女は理解力と抱容力のある男に魅《ひ》かれるという、女子大生のアンケートでも思い出したのだろう。

「わたし、大変なことを忘れていたわ」と、急に、村岡先生が言った。「今日は新井さんの、お通夜ではないかしら」

「通夜は明日です」と、別の話題が出てきたことに、ほっとしたような顔で、親父が答えた。「明日の葬式では日が悪いとかで、一日ずつくりさげるそうです」

「よかった……教え子のお通夜も思い出さないなんて、いい加減な教師ですわね」

「いや、少しは、忘れたほうがいいですな」

「忘れていたんです。ほんのさっきまでは」

村岡先生が小さく笑って、頰に陰ができたが、それはせっかく忘れていたものをまた思い出してしまったという、困惑気味の笑いだった。

「コーヒー、もう一杯飲みますか」と、ぼくが訊いた。

「もう沢山。おいしかったわ。豆はなに？」

「どこかのなんとかブレンド」

「そう。でもどうしてかしら。わたしがいれるコーヒーより、おいしいみたい」

それからぼくたちは事件のことには一切触れず、三十分ばかりぼくと村岡先生で、親父の唯一の趣味である歴史の講釈を、ありがたく拝聴した。父によるとこの辺一帯は昔、朝鮮からの渡来人が開拓した土地で、武蔵《むさし》という語も朝鮮語の宗城《チョンソン》がなまった言葉だというのだが、果してどんなものだろう。

村岡先生が帰ったのは、十時をだいぶすぎてからだった。親父の講釈が終ったあとは村岡先生が食器の片づけを手伝ってくれ、おまけに今日買ってきた、親父のズボンの裾《すそ》あげまでやってくれたのだ。親父が眠る気になれないのも、無理のないことだった。

村岡先生が帰っていったあと、二人ともどうにも落ちつかず、けっきょく親父は寝酒のウイスキーをダイニングに持ち出してきて、一人でちびちび飲みはじめた。テレビではもうプロ野球ニュースが始まっていた。いいことのある日は重なるもので、この日は原がホームランを打って巨人が勝っていた。

プロ野球ニュースが終って、自分の部屋へ歩きかけた親父が、ふとぼくのほうをふり返った。

「なあシュン、今夜食った魚は、ありゃあいったい、なんだったのかなあ」

5

朝早く電話で起こされることほど、腹の立つものはない。まして前の晩にいい気分でベッドに入り、次の日は可能なかぎり朝寝をしてやろうと決めていたときには、なおさらだ。五回コールを聞いたあとも六回目はかならずとまると信じて、ぼくは無視を決めこもうとした。しかしNTTの陰謀で、うちの電話機は相手が受話器を置かないかぎり、六回でも七回でも無際限にコールサインを発しつづける構造になっていた。

ぼくは親父と電話会社と電話の相手に頭の中で悪態をつきながら、目を閉じたまま枕元に腕をのばした。忘れていて、しかも忘れてはいけなかったことは、麻子さんには朝早くぼくのところへ電話をかける病気があった、ということだ。

「今、ラジオ体操から帰ってきたところよ」と、はっきりそれと分るほど不機嫌な声で、麻子さんが言った。

「おれは多摩川に鮭《さけ》を呼び戻すことに反対する会の会長なんだ」と、ぼくが答えた。

「なんのことよ」

「鮭の迷惑も考えろってこと」

ちょっと間があってから、麻子さんが言った。

「いつ帰ってきたのよ」
「なにが」
「昨夜は帰らなかったんでしょう」
「あ……」
「どこへ行ってたの」
「映画の、オールナイト」
「嘘よ」
「どうして」
「昨夜戸川くんのお父さんと話したとき、うしろで音がしたわ」
「顔だけじゃなくて、耳もいいんだな」
「どうして嘘なんかつくの」
「いろいろあるんだ」
「いろいろって」
「だから……」
「卑怯《ひきよう》だわよ」
「朝飯は、食べたのか」
「まだよ」
「食べてから、電話をしてくれないか」

「どうして居留守なんかつかったのよ」

「あとで説明する」

「新井さんのこと、知っていたんでしょう?」

「知っていた」

「連絡しあう約束だったじゃない」

「昨日は、君には、電話したくなかった」

「どういう意味よ」

「一口じゃ言えないんだ」

「はっきり言いなさいよ」

「まだ頭が眠ってる」

「今言った言葉、ちゃんと説明しなさいよ」

「あとで話すから」

「今言ってよ」

「気持ちに準備をさせる必要がある」

「気持ちなんかいいの。わたしは聞きたいの」

「とりあえず、切る」

「卑怯者」

「いい加減にしろよ。一度キスしたぐらいで」

言ってから「しまった」と思ったが、もう遅かった。この責任はぜんぶＮＴＴにある。

「分ったわ」と、気味の悪いほど落ちついた声で、麻子さんが言った。「ゆっくり寝かせてあげるわ。好きなだけ眠りなさいよ。ずーっとずーっと眠って、あんたなんかもう、死ぬまで寝てなさいよ」

電話が切れたあと、麻子さんの好意に甘えて、あとぜったいに一時間は寝てやるぞ、とぼくは意地になってタオルケットを顔の上にひきあげた。そうやってまたあの安逸《あんいつ》な平和が戻ってくるのを待っていたが、中途半端に目醒《ざ》めてしまった神経は、二度と眠りを運んでこなかった。

それでも一時間ぐらいベッドの中で頑張ってから、八時半になって、とんでもなく不機嫌な気分でぼくは下におりていった。親父はもう起きていて、ダイニングのテレビをつけて新聞を開いていた。ぼくの気分とは逆に、親父のほうは上機嫌だった。自分で湯を沸かして茶を飲んでいただけでなく、昨日買ってきた服まで、しっかり着こんでいたのだ。

「コーヒー、いれてくれるか」と、ぼくの顔を見て、親父が言った。

「お茶を飲んでるだろう」

「コーヒーも飲みたいんだ」

「トーストも？」

「ああ」

ぼくは頭の中でため息をつきながら、台所に立ってコーヒーの豆をひいたり、カップを出したりトースターに食パンを放りこんだり、トイレに行ったり居間のガラス戸を開けたりして動きまわった。親父も家の中をうろうろしていたが、そっちのほうは特別、意味のあることはしていなかった。

コーヒーをいれ、パンに苺《いちご》ジャムをぬってぼくがダイニングのテーブルへ持っていくと、親父も居間から戻ってきて、立ったままジャムトーストの皿に手をのばした。そして今度はトーストを抓《つま》んだままテレビのところへ行って、チャンネルをきりかえ、またテーブルに戻ってきて、やはり立ったまま新聞のページを繰りはじめた。

「父さん」と、コーヒーを一口飲んでから、ぼくが訊いた。「なんで立ってるの」

「ああ?」

「座って食べなよ。新聞もさ」

「ああ」

親父はまたテレビの前へ行ってチャンネルをきりかえ、戻ってきて、まだ立ったままコーヒーのカップをとりあげた。

「どうだ?」

「なにが」

「服さ」

「ああ……」

なるほど、そういうことか。

「ちょっと、派手じゃないかなあ」

「似合ってるよ」

「俺も、そう思う」

「ズボンの丈は？」

「ぴったりだ」

「靴ははいてみた？」

「さっきな」

「靴下を買うのを忘れた」

「これじゃまずいか」

「綿のやつがいい。ぼくのを貸そうか」

「今日は、まあ、これでいい」

「刑事には見えないね」

「なんに見える」

「写真家とか、テレビのディレクターとか」

「ろくな商売には、見えんなあ」

そう言いながらも、内心はけっこう満足らしく、やっと親父も椅子に座って、テレビのほうを向いてコーヒーを飲みはじめた。頬《ほほ》の筋肉がゆるんでいるのを、ぼくに見られたくなかったのだろう。

「昨日訊くのを忘れたけど……」と、ぼくが言った。「岩沢訓子の遺書は、どうなった？」

「科捜研にまわした。今日にでも結果が出る」

「また村岡先生のマンションへ行くの」

「用があれば、な。どっちみち被害者の通夜や葬式で、顔をあわせる」

「今度の事件が終ったら、先生をドライブにでも誘うといい」

「俺がか?」

「他に誰がいるのさ」

「そういうのはおまえのほうが、得意だろう」

「父さんの問題だよ。今なら先生も落ちこんでるし、チャンスだと思うけどね」

「弱味につけこむようで、気がすすまんな」

「それはそれ、これはこれさ。本当にいやだったら、落ちこんでいても誘いにはのらないと思うよ。昨日の感じなら、たぶん、OKじゃないかな」

「しかし、たとえば……」と、真顔で親父がふり返った。「ドライブに行くとしたって、どこへ行ったらいい?」

「好きなところへ行くさ。海でも山でも」

「二人だけでなにを喋るんだ」

「知らないよ、そんなこと」

「四人で行くというのはどうだ。俺と村岡先生と、お前と酒井組の娘」

呆れかえって、思わずぼくは首をふった。

「ねえ父さん。四人でグループ交際して、どうするのさ」

「自然な雰囲気でいいじゃないか。わざとらしくなくて」

「そっちのほうがずっと、わざとらしいよ」

「そんなもんかな」

「分ってるの」

「なにが」

「村岡先生を逃《のが》したら、二度とあんな人には、会えないかも知れないんだよ」

「そりゃあ、まあ、な」

「歳のことだってあるし、父さんに有利なわけじゃないんだから」

「そりゃそうだ」

「本気で頑張る気、あるの」

「そりゃそうだ」

「なにが」

「そりゃあ、ある」

「男らしくしなよ」

「分ってる」

「もう時間だよ」

「ああ」

コーヒーを飲みほして、親父が立ちあがった。

「ハンカチは持った？」

「持った」

「手帳と財布は？」

「持った」

親父が玄関へ歩き、ぼくもついていって、靴が服に合うのをたしかめてから、ドアを開けて親父を仕事に送りだした。しばらくしてフォルクスワーゲンのエンジン音が響きだし、その音がクルマまわしを通って、門の外へ消えていった。今日にでも新しいクルマを、見てくるか。

親父の張りきりようとは逆に、ぼくの調子はもう一息だった。なぜ麻子さんと喧嘩《けんか》をしてしまったのか、分っているようで分らない。まわりのみんなに、『恋仲になって当然』と思われることに、気持ちのどこかが反発でもしているのだろうか。

ぼくは使った食器の始末をし、昨日親父が放り出しておいた水撒きのホースを片づけてから、風呂場へ行って冷たいシャワーを浴びた。それから自分の部屋に戻り、南向きの窓枠に腰かけて、煙草に火をつけた。慣れているはずの退屈もあまり突然にやってくると、扱い方に戸惑ってしまう。

煙草を一本吸いおわるまで、ぼんやりしていてから、とりあえずぼくは勉強机の前に腰をおろした。一昨日《おととい》英語の参考書をほんの少し開いただけで、このところ勉強らしいことをしていなかった。たまには高校生らしく一日じゅう勉強机の前に座っているのも、いいかも知れない。

夕方になって気が向いたら、甲州街道ぞいにあるクルマ屋をのぞきに行ってもいい。麻子さんへの電話は、麻子さんのヒステリーが鎮まるまで、待つしかないだろう。

ぼくはジェームズ・サーバーの原書をとり出し、辞書と参考書をとなりに置いて、「空の縁石」という短編を訳しはじめた。前に翻訳で読んでいるからストーリーは頭に入っているが、試験問題の答案になるように訳すとなると、一ページでも三十分は必要だった。ぼくはかなり意識的に、その短編の翻訳に熱中した。

三ページほど訳し終ったとき、玄関のチャイムが鳴って、ぼくは下におりていった。

ドアの外に立っていたのは、健康食品のセールスマンでもなく、新聞の拡張員でもNHKの集金人でもなかった。

ドアのノブに手をかけたまま、ぽかんとしていたぼくの胸に、麻子さんが黙って白い紙袋を押しつけてきた。

「なに?」と、無表情に口を結んでいる麻子さんに、ぼくが訊いた。

「借りていたTシャツとハンカチ」と、顔と同じぐらい無表情な声で、麻子さんが答えた。

「入りなよ」

「ここでいいわ」

「コーヒーでも飲まないか」

「それを返しに来ただけ」

麻子さんが本気で怒っている証拠は、口を怒っているかたちに結んでいないことだった。動かない目を異様に光らせて、じっとぼくの顔を見あげている。こちらから口をきかないかぎり、自分ではぜったい口を開くまい、と決心しているのだ。

迫力に押されて、ぼくが言った。

「今日のシャツ、よく似合ってる」

「新宿で会った日にも着てたわ」

「そうだったかな」

「他に言うこと、ないの」

「髪型もいい」

「電話で言ったことを、もう一度言いなさいよ」

「寝呆《ねぼ》けてたんだ」

「寝呆けて、つい本当のことを言ったわけね」

「病気なんだ。寝呆けると、小説の中の台詞《せりふ》が、無意識に口から出る」

「わたしは男の子とキスなんかしたの、初めてだったのよ」

「おれは男の子とキスなんか、したこともない」

麻子さんの目が、きらっと光って、そのとたん右の掌《て》がぼくの頬を狙って、ぶーんと飛んできた。避けなかったのはぼくの油断だった。それはスナップショットではなく、腰を入れて、自分の背中からまわしてきた強烈な平手打ちだった。この次こういうことがあったら避けたほうがいいな、とぼくは心に刻みつけた。

「戸川くんが考えていること、ようく分ったわ」

麻子さんが外側のノブに手をかけ、平手打ちのショックから醒めきっていないぼくの鼻先に、ドアの内面を思いきり叩《たた》きつけた。外の景色も、麻子さんの姿も、マホガニーのドアが框《かまち》にはまる大太鼓のような音と一緒に、ぼくの視界から消え去った。冗談を言ってはいけないタイミングというのは、たしかにあるものだ。

ぼくはドアの内側に額をこつんと打ちつけ、そのままうしろへ下がって、白い紙袋を抱えたまま上り口の床にへたりこんだ。分っていながら、麻子さんの顔を見るとついからかってみたくなる。これは幼児性のなごりで、好きな女の子にわざと悪戯《いたずら》をしかける、小学生のようなものだ。いったいぼくは、なにを考えていたのだろう。麻子さんもたしかによく怒る人ではあるが、あれだけ怒らせたからには三日や四日で、頭から血もひかないだろう。それどころかぼくの言い訳なんか、二度と聞いてくれない可能性がある。いつの間にか酒井麻子を自分の彼女だと思いこんでしまっていたが、客観的には、たった一度、一分間だけキスをしただけなのだ。そしてあれが最後のキスになる可能性だって、じゅうぶんにある。誤解をしたまま別れなくてはならない男と女の例なんか、アメリカ映画にいくらだってある。反省をしたって遅すぎることなんか、この人生には、いくらでもある。

上り口の床に座りこんだまま、目を天井に向けて、ぼくはぶつぶつと独り言を言っていた。そのうちふと気がついたのは、あれから十分もたっているのに、ぼくの耳はバイクの音を聞いていないことだった。クルマまわしの端に、たしかに麻子さんの白いバイクがとまっていたはずなのだ。

ぼくは半信半疑で、立ちあがり、ドアに近寄って、そっと開いてみた。目の前に見えたのは麻子さんのシャツの背中と、ポニーテールをとめてある黄色い輪ゴムだった。ぼくは唾《つば》を飲みこむのに夢中で、なにか言葉が必要だなどと、思いもしなかった。麻子さんもぼくがドアを開けたのは知ってるくせに、自分からふり向く気にはならなかった。ぼくは恐る恐る手をのばし、ポニーテールの先を抓んで、ちょんとひっぱってみた。首をふっただけで麻子さんがまだふり向かなかったので、今度は三度、少し強めにひっぱった。まるでこわれた玩具《おもちゃ》みたいに、麻子さんがゆっくりと、からだごと顔をぼくのほうにまわしてきた。半分だけ頰をふくらませて唇を結んでいる口のかたちは、いつものあの、麻子さんが怒っているときのかたちだった。

ほっとして、ぼくが言った。

「おれが、悪かった」

ぼくの顔を睨んでいた麻子さんの目に、涙がたまってきて、それが一気に溢《あふ》れだした。口のかたちもくずれて、そこからはサイレンのような音も聞こえだした。

「泣くなよ」

「わたしの勝手よ」

「暑いじゃないか」

「わたしの勝手よ」

「入れよ」

「いや」

「郵便屋がくる時間だ」

「いやよ」

「それじゃ、泣きやめよ」

「いや」

ぼくは麻子さんのからだを掬《すく》いあげ、玄関から居間へ運んで、そこのソファに放り出した。麻子さんはもう、足をばたつかせて泣きはじめていた。こうなったら二十分でも三十分でも、平気で泣きつづけるのだ。

「悪かったって、言ったじゃないか」

いやいやをしただけで、やはり麻子さんは、泣きやんでくれなかった。

「今の言葉が泣きやむきっかけのはずだろう」

もちろん状況がちがうと泣きやむきっかけにも別な工夫が必要なのか、そんな言葉でごまかされる酒井麻子ではなかった。ぼくはあきらめてとなりに座りこみ、反抗する麻子さんを膝《ひざ》に抱きあげて、背中のまん中をゆっくりさすりはじめた。子供をあやしてるようなものだったが、子供よりは重かったし、汗の匂いにも女の甘ずっぱさがまじっていた。

奇蹟的にあやしが効いてくれたらしく、五分ほどで、麻子さんが泣きやんだ。放っておいたらあと二十分は泣いたろう。

「くやしいったらないわ、まったく」と、汗と涙をぼくのシャツで好きなように拭きながら、鼻声で、麻子さんが言った。

ぼくは麻子さんを抱えたまま腰をあげ、ダイニングに歩いて、スニーカーを脱がせてから、テーブルの上によいしょと鎮座させた。その拗《す》ねた顔はまるで、売れ残ったことに腹を立てている、雛《ひな》人形のかたわれのようだった。

いそいでレモンスカッシュをつくって、持っていってやったぼくに、麻子さんが言った。

「ティシューもとってよ」

ぼくがティシューの箱をテーブルにのせてやると、麻子さんはそれで鼻をかみ、使った紙を丸めてぼくに投げつけてよこした。このまま機嫌をなおしてしまうには、少し天気がよすぎるのかも知れなかった。

「君みたいに怒ったり泣いたりできたら、気持ちがいいだろうな」

「あんたが悪いのよ」と、レモンスカッシュを含んだ口で、麻子さんが言い返した。

「最初からそう言ってる」

「あんなことで済むと思うの」

「済まないのか」

「当然よ」

レモンスカッシュをきれいに飲みほして、麻子さんがテーブルの上で尻を動かした。

「ゆっくり言い訳を聞いてあげるわ」

「電話で言ったろう。ゆっくり話すって」

ぼくは台所とダイニングとの境の柱に寄りかかって、ちょっとの間、なにから話そうかと考えをめぐらせた。それにしてもなぜ、ぼくのほうが一方的に、言い訳をしなくてはならないのか。

「君は新井のことを、どこで知ったんだ」と、とりあえず、ぼくが訊いた。

「新聞で」と、怒った口のまま、麻子さんが答えた。「自分では気がつかなかったの。小さい記事だったし。そしたらお袋が午《ひる》すぎになって、また深大寺学園の子が死んだって。すぐ戸川くんに電話したけど、出なかった。それからだって何回も電話したのに」

「おれは前の日に親父から聞いた」

「どうして連絡しなかったの」

「君だってただの交通事故だとは、思わなかったろう」

「それを聞きたかったんじゃないのよ」

「親父から聞いたときには、おれだって信じられなかった。その何時間か前に二人で会ったばかりだものな。新井があんなことになるなんて、考えてもいなかった。もちろんただの事故なんかじゃない。彼女が殺されたのは岩沢の秘密を知っていたからだ。おれたちがそれを聞きだそうとしたから、犯人は新井を殺さなくてはならなかった。逆に言えばおれたちがあんなことをしなかったら、あるいはもう少し慎重に行動していたら、新井は死なずに済んだかも知れない。でもはっきりしたのは、岩沢もやっぱり、同じ犯人に殺されたということだ。おれたちはかんたんに探偵ごっこをやりすぎていた。だからおれは、探偵事務所を閉めることにした。警察も岩沢の事件から調べなおすというし、もうおれたちの出る幕はない。そのことを、うまく君に、説明できなかった」

一息いれて、麻子さんの顔をうかがったが、麻子さんはテーブルの上に胡坐をかいたまま、ぼくの顔を睨んでいるだけだった。

「それにおれは、ほんの少しだけ、自己嫌悪にもおちいった。新井と会ったとき、なんであんな問いつめ方をしたのか。新井の立場や人間性を、無視してしまった。たぶん人間だとも、思っていなかったのかも知れない。自分の知りたいことを聞きだそうと、それしか考えていなかった。だけどもし、新井と君の立場が逆だったら、どうだろう。おれはあんなふうに接したか。そんなことは、なかったと思う。逆に君を、かばっていたろう。昨日電話で君の声を聞いたり、君に会ったりしたら、ああ、そんなもんだって思ったに、決まってる。おれにとって女の子は君しかいないんだから、新井のことまで考える必要は、ないんだって。たぶん、そんなふうに思ったろう。だけどそういうのは、好きな考え方じゃない。昨日もそうだったし、今日もそうだけど、頭の中が整理できていないんだ。それが昨日、君の電話に出なかったことの言い訳。もう一つは……」

「いいわよ」と、ぶっきらぼうな声で、麻子さんがつづきをさえぎった。「もう一つのほうは、言い訳をしなくてもいいわ」

「無罪放免か」

「どうせわたしが電話で起こしたんで、頭にきただけでしょう」

「分ってて、よくあんなふうに泣けるな」

「一度怒りはじめると、自分じゃとまらないんだもの」

麻子さんがもぞもぞとテーブルをおりてきて、柱に寄りかかっているぼくのところまで、ふてくされたように歩いてきた。そして呼吸の音が聞こえるところまで近づき、視線を落として、額をぼくの顎の下にこすりつけた。ぼくは両腕ですっぽりと麻子さんのからだを包み、少しそのままにしていてから、髪の毛と額に唇を合わせた。汗だか涙だかがまだ乾いていなくて、麻子さんの顔はどこも、しょっぱかった。

五分ぐらいじっとしていてから、ぼくが言った。

「シャワーを浴びてこいよ、びっしょりだ」

返事のかわりに麻子さんが額でぼくの胸をつき、くるっと向こうを向いて、テーブルの横を風呂場へ歩きはじめた。

「バスタオルは一番上の棚」

「分ってる」

「コーヒーをいれておく」

「それぐらい、当然よ」

パーコレータを火にかけ、自分の部屋へ行って煙草《たばこ》を持ってきてから、ぼくはダイニングの椅子に座って、その煙草に火をつけた。今まで歳上の女の人が多かったせいか、女の子と付きあうことがこんなに疲れるものだとは、思ってもいなかった。最初に予感した以上に、なんだかわけの解らないかたちで、麻子さんはぼくを疲れさせる。問題はそれが我慢できるか、どうか。問題は、そういうことだ。

煙草を吸いおわり、ガスの火をとめに台所へ入っていったとき、遠くのほうで麻子さんが呼びかけた。麻子さんはダイニングの入り口に立ったまま、それ以上は中へ入ってこなかった。胸にバスタオルを巻いただけの恰好は、いくらなんでも、ぼくを困らせた。

「戸川くん、あれ持ってる?」

「あれって」

「かわり持ってこなかったの」

「なんの」

「タンポン。持ってない?」

たぶん、親父と酒井麻子なら、いい勝負になる。

「持ってるわけないだろう」

「そうよねえ」

「買ってこようか」

「どうして」

「いやよ」

「恥ずかしいじゃないの」

間違いなく麻子さんは、ぼくなんかにはぜったいに理解できない、すごい感性をもっている。

本気で神経をきたえないと、そのうちぼくは、病気になるだろう。

「ガーゼかなにか、ある?」

「包帯ならあるけど」

「それでいい。貸して」

ぼくは台所の薬箱から新しい包帯を出し、包みを開いて、それを麻子さんの待っているダイニングの入り口まで持っていった。手脚の出ている部分は水着のときと変わらないのに、バスタオルというのはなんとなく、感じがちがう。だいいち麻子さんには、バスタオルがよく似合う。

「他になにかいるか」

「これでいい。持ってきたTシャツ、また貸してね」

麻子さんが走るように廊下へ消えてゆき、ぼくはコーヒーをダイニングのテーブルに運んで、一人で飲みはじめた。いくらもしないうちに麻子さんも風呂場から戻ってきた。ぼくの白いTシャツを着て、髪もポニーテールに結びなおしていた。あらためて感心するのもへんなものだが、やっぱりぼくはあらためて感心した。酒井麻子は、本当に、きれいな子なのだ。

椅子に座ってぼくからコーヒーカップを受けとりながら、麻子さんが訊いた。

「さっきの話、けっきょくどうなれば、戸川くんの気が済むわけ?」

「なにが」と、ぼくが訊きかえした。

「新井さんのことをわたしと同じに考えたいのか、それともわたしを、新井さんと同じに考えたいのか」

「それを考えてるんだ」

「シャワーを浴びながら思ったけど、そういうことって、ばかばかしくない？」

「けっこう真剣だけどな」

「神様みたいに、人類をすべて愛したいわけ？」

「そんなに暇じゃないさ。おれが言ってるのは、関心の質はちがったとしても、重量としては同じレベルでとらえたいってこと」

「感情は？」

「感情は、ちょっと横に置いておく」

「わたしの立場で言えばかんたんよ。たとえば二人で、そのへんを歩くとするじゃない。そのとき女の人とすれちがって、ああ、戸川くんは今、あの人とわたしを同じ重量でとらえたんだな、なんて思ったら、腹が立つわよ。だいいち横のほうを探さないと感情が見つからないんじゃ、疲れちゃって、散歩もできないわ」

「君が疲れたら、おぶってやるさ」

「言ってることが、おかしい？」

「おかしくはないけど、拍手するほどでもない」

「わたしはただ、わたしを誰ともくらべてほしくないって、そう言ってるだけ」

麻子さんがコーヒーカップの縁からぼくの顔をのぞき、鼻を曲げて、にやっと笑った。この話はここまで、という合図なのだろう。ぼくにしても今の話題を中止することに、異存はなかった。ぼくは麻子さんと同じ合図を送り返した。

「それで、昨日は一日じゅう、どこへ行ってたのよ」と、ぼくの煙草に手をのばしながら、麻子さんが言った。

「吉祥寺。親父の服を買いに……村岡先生に会った」

くわえ煙草の先を上に向けて、麻子さんが顎をつき出した。

「偶然さ」

「そんなこと、訊いてないわよ」

「君は村岡先生のことを、どう思う」

「どうって」

「感じがさ」

「あんなきれいな人が、どうして先生なんかしてるのかな、とは思うわ」

「好きとか、嫌いとかは」

「考えたことない」

「好きなようには見えないけどな」

「しっくりこないだけ」

「どうして」

「なんとなく。よく知らないせいかしら」

「それが親父は、どうも、しっくりきちゃったらしい。新井が死んだとき親父が村岡先生に話を訊きにいって、一目惚《ひとめぼ》れさ」

呆れながら納得したような顔で、麻子さんがふーっと長く煙を吐き出した。

「急に服装を気にしだしたりして。親父があんなふうに女の人を好きになったのは、君のお袋さん以来かも知れない」

「戸川くんは、どうなの」

「おれだっていつまでも、親父の面倒をみられない。客観的に見て、どう思う？　あの二人」

「村岡先生なら文句はないでしょう」

「向こうに文句があることが、心配なんだ」

麻子さんが煙草の火を灰皿でつぶして、天井の上のほうに、ぐるっと視線をめぐらせた。

「だけど戸川くんのお父さんの、あのぼーっとした感じ、歳のわりにはかわいいわ」

「真面目な感想なのか」

「女の人なら分るわよ。村岡先生にだって、分ると思う」

「歳が二十もちがう」

「関係ないわよ」

「再婚だし」

「関係ないって」

「気むずかしい息子が一人いるぞ」

「そうか。問題は……」

ゆっくりと頬杖をついて、麻子さんが、じろっとぼくの顔を眺めてきた。

「一番の障害は、それよねえ。それさえなければ、完璧《かんぺき》かも知れないのに」

ぼくらは目を見つめあって、一度ずつうなずきあい、それから一度ずつ、にっと笑いあった。

麻子さんの男を見る目を信用すると仮定すれば、親父の結婚にも、かなりの現実性がある。あとは親父がどれぐらい頑張れるかだが、これはぼくが尻を押すしかないだろう。

壁の時計をふり返ってから、ぼくが言った。

「ハンバーガーでも食べに行こうか」

頬杖をついたまま、麻子さんもちらっと時計に目をやった。

「一時に人と会う約束をしちゃったの。一緒に行くでしょう?」

「誰?」

「訓子のお通夜の日、最初に行ったスナックで会った、暴走族の親分《あたま》」

まさかぼくに、例の暴走族に入会しろと、いうわけではあるまい。

「なにをたくらんでる?」

「なにも。昨夜向こうから電話してきたのよ。妙なことを聞いたって。もしかしたら今度のことに、関係があるかも知れないって」

「妙なことって」

「言わなかったけど、そのことを知っている人に、会わせるって」

わざと上目づかいに、わざとじろじろと、ぼくは麻子さんの顔を眺めてやった。効果のないことは分ってはいるが、牽制《けんせい》ぐらいは、しておくべきだろう。

「連絡をくれなかった戸川くんのほうが悪いのよ」

「喧嘩をやりなおすか」

「たとえ探偵事務所を閉めても、残務整理はあるわよ。本当に事件と関係あるかどうかも、分らないし」

「酒井のことが心配なんだ」

「話を聞くだけ。それならいいでしょう？　自分ではなにもしない。話を聞いて、事件に関係ありそうだったら、警察に教えてやる。あの連中が自分から警察に話すなんて、ぜったいにないもの。もし重要な情報だったら、今度は戸川くんのせいで捜査が遅れることになる。それでもいい？」

まるで脅迫だが、麻子さんの理屈にも、一理はある。本当に重要な情報だったら、それを親父に話してやればいい。事件が一日でも早く解決すれば、それだけ村岡先生に対する親父の立場も、有利になる。

「だいいちね」と、とぼけたように眉をあげて、麻子さんが言った。

「もう会う約束はしちゃったの。わたしたちの世界で義理を欠くことは、許されないんだから」

色を見ただけで脱水症状を起こしそうな日射しの中を、ぼくらはバイクを連ねて府中へ向かいはじめた。自分でバイクに乗れるぐらいだから、麻子さんのあれも、大したことはないのだろう。

髭《ひげ》の男と待ちあわせしていた場所は東府中の駅に近い、レストラン風のスナックだった。一番奥にはカラオケ用のステージがあり、夜にはその方面が専門になる感じの店だった。勤め人の昼食時間が終ったばかりらしく、あちこちのテーブルには片づけきれない食器が残っていて、疲れた顔の女の人が一人、フロアと厨房《ちゆうぼう》間を無愛想に行き来していた。客はテーブルに二人と、カウンターに白いつなぎを着た、例の髭の男が座っているだけだった。

「あんた、昼間はちゃんと働いてるの」と、カウンターの男のとなりに座りながら、麻子さんが気さくに声をかけた。

「バイクをころがしてるだけじゃ、飯は食えねえよ」と、きまり悪そうに笑いながら、髭の男が答えた。

つなぎについた油のしみや爪のよごれからして、近くの工場でクルマの整備工でもしているらしかった。この前地下の店で見たときよりも、顔はそれほど凶暴にも感じられなかった。

「やっぱし坊やも一緒か。まあどっちでもいいや。俺あんまし時間がねえんだ」

髭の男が厨房に呼びかけると、四十ぐらいの髪を光らせた男がタオルで手を拭きながらあらわれて、うんざりした表情でカウンターの向こうに立ちどまった。

「マスター、先日《こないだ》の話、もう一度この二人にしてやってくんねえか」

「そりゃないよケンちゃん。ここだけの話だったんだから」と、低い声で言って、マスターがちらっとぼくらの顔を見くらべた。

「だからもう一度、ここだけで話しゃいいじゃねえか」

「あたしの名前が出ちゃまずいよ。友達なんだから」

「名前まで教えるこたあねえさ」

「そりゃそうだけどね」

「俺の顔はどうするんだい。わざわざ呼んで、来てもらったんだぜ。それに彼女のほうは酒井組の娘なんだ。マスターだってまるっきり、義理がねえわけじゃねえだろう」

マスターがカウンターの向こうから麻子さんの顔を眺め、煙草をとり出して、やけ気味な顔で火をつけた。

「あたしが喋ったってこと、内緒にしてくれるかね」と、たいして期待もなさそうな顔で、マスターが訊いた。

ぼくと麻子さんが同時に、こっくんとうなずいた。

「実は高校んときの友達が、三鷹の市役所に勤めててね。そいつ競馬に凝ってて、府中でやるときはいつも店に顔を出すんだよ。あたしも競馬はやるしさ。それでたまには二人で飲み歩いたりもするわけ。あっちは役人だからいろんな店に顔はきくし、たまにはまあ、つけを業者にまわすなんてこともできるしね。それがいつだったか、やつが酔っぱらって、口をすべらせたんだよ」

マスターは煙草をくわえたまま冷蔵庫からビールを出し、コップに注いで一気に呷《あお》ると、煙草をくわえなおして、ふんと鼻で息を吐いた。

「今年の四月ごろかね。三鷹市で文化会館をつくるっていうんで、その入札があったらしいんだよ。けっきょく三枝建設がやることになったんだけど、ああいうのってさ、裏があるんだよやっぱり。あたしの友達っていうのは建設課の係長だけど、それなりのものは三枝建設からももらったわけさ。それが……金だけじゃなかったっていうんだけどね。やつも酔いが冷めてっからあわててたっけ。こんなことがばれたら命とりだもんねえ」

「俺、時間がねんだよ。昼休みは終ってるんだから」と、髭の男がカウンターの内にうながした。

「それがさ」と、またビールを呼って、マスターがつづけた。「女の子を世話されたっていうんだ。それも商売女じゃなく、高校生をね。高校生ったってそのへんで遊んでる不良娘じゃなくて、深大寺学園のさ、まったくのお嬢さんだっていうんだから。この話、本当に内緒だよ」

「女の子の名前を、聞きましたか」と、ぼくが訊いた。

「そこまではねえ。やつだって聞かなかったろうし。それに三枝建設がそういうふうに使ってる子は、一人や二人じゃないらしいよ。それぐらいのことをしなくちゃ、ああいう商売も、やっていけないのかねえ」

「あなたのお友達の、名前は？」

「建設課の栗林（くりばやし）。だけど……」

「ぼくはあなたに、会っていません」

「そうそう。お互い会ったことも、聞いたこともない。それが一番いいんだよね。なにか飲むかい」

「いえ」

「それじゃあたし、ちょっと片づけがあるからさ。知ってることは今のでぜんぶだよ」

マスターが逃げるように厨房へ戻っていき、ぼくと麻子さんと髭の男と、一度ずつ顔を見あわせた。

「あんたらが知りたがってることと、関係ありそうかい」と、脂のういた額をつなぎの袖で拭きながら、髭の男が言った。「俺だってそこらのズベ公がからだ売ってるなんて話じゃ、驚きもしねえけどよ。深大寺学園の子がそんなことやってるなんて、噂《うわさ》にも聞いてねえ。それでもしかしたら、役に立つかなと思ってさ」

麻子さんの表情をたしかめてから、ぼくが言った。

「助かりました。とても」

「そうかい。俺本当に時間がねえから、もう行くわ。そのうちこっちも世話んなることがあるかも知れねえしよ。気が向いたら一緒に、バイクでも飛ばそうぜ」

髭の男は麻子さんとぼくの肩を一度ずつ叩き、へっと大きく笑って、からだをゆすりながら店を出ていった。残ったぼくたちはしばらくため息をつくだけで、二人とも喋る気にはならなかった。

午をとっくにすぎていることを思い出して、ぼくが訊いた。

「なにか、食べるか」

「うん。でもこの店では、いや」

ぼくたちは疲れた顔の女の人の視線に見送られながら、店を出て、バイクを押して線路を反対側へ渡った。少し歩くと道に面して中が明るく見える小さいレストランがあって、ぼくらはバイクを置いてそのレストランへ入った。中は冷房の加減がちょうどよく、かための椅子も座り心地がよさそうだった。ぼくらは通りに面した席に並んで腰をかけ、それぞれにサンドイッチとオレンジジュースを注文した。

最初にやってきたジュースで唇をしめらせてから、ため息と一緒に、麻子さんが言った。

「大変なことになったみたい」

「決ったわけじゃないさ。岩沢や新井が……」

その言葉の無意味さに気がついて、ぼくもそれ以上は言わなかった。少なくとも岩沢訓子に関しては、行動のすべてがその事実を暗示している。だからこそふだんの素行については、慎重すぎるほど気をつかっていたのだ。そしてそれはたぶん、新井恵子にしても同じ理屈だったろう。

「そんな噂、聞いたこと、あったか」と、テーブルの灰皿をじっと見つめている麻子さんに、ぼくが訊いた。

「最近はよくある話だろうけど、うちの学校では、ないわ」

「そういうことに一番縁のなさそうな子たちが、選ばれたのかも知れない」

「でも、訓子が、どうして?」

「分るような気もするけど……本当の理由は、本人にしか、分らないんだろうな」

「もしもよ。もし本当に訓子がそんなことをしていたとして、それで妊娠しちゃったとしたら、どうして四カ月になるまで放っておいたの。訓子はそれほど、ばかな子じゃなかったわ」

「その理由も本人にしか分らないさ。もし他に知ってるやつがいるとすれば、それは犯人だけだ」

麻子さんが下唇をかんで、横からぼくの顔を見あげてきた。

「これからどうする?」

「君は家に帰って、じっとしている」

「戸川くんは?」

「栗林という男の顔が見たくなった」

「一緒に行くわ」

「君はいいんだ」

「どういう意味よ」

「君にうろうろされると、邪魔だから」

麻子さんがまた下唇をかんで、今度は鼻の穴を、ぴくっとふくらませた。

「へんなこと言うじゃない。探偵事務所を閉めたり開けたり、勝手なことをしないでよ」

「新井のことはおれに責任がある」

「責任はわたしにだってある」

「犯人は二人も殺してる。三人でも四人でも、同じだと思うかも知れない」

「それじゃ警察に任せれば？　事件から手をひくと言ったの、戸川くんよ」

「もちろん警察に任せるさ。その前に栗林という男の顔を、見てくるだけ」

「それならわたしも一緒に行くわ」

「最初に言ったことが聞こえなかったようだから、もう一度言う。君は家へ帰って、じっとしている」

「邪魔なのよね？」

「そうさ」

「いいわよ。それならわたしはわたしで、勝手にやるわよ」

ぼくがのばした手を、麻子さんがふり払った。

「君にまだ、言ってなかったことがある」と、麻子さんの手首を摑んで、ぼくが言った。「一度しか言わないから、そのつもりで聞けよな」

「勝手よ、そんなの」

「ぼくは、君が、好きだ」

「え？」

「そういうことさ」

「そういうことって、なによ」

「一度しか言わないと言ったろう」

「だって、そんなの、聞こえなかったもの」

「聞こえなかったのは君のせいだ。いいか？　君にもしものことがあったらおれは捕鯨船にでも乗って、一生を海の上で暮すことになる。おれにそんなことを、させたいのか」

麻子さんの腕から力が抜けて、言葉の出ない唇が二、三度、閉じたり開いたりした。

「危険なことはしない。おれにはそんな勇気はないさ。ただ警察に任せるにしても、事実関係をもう少しはっきりさせたいんだ。マスターの言うとおりだとすれば、岩沢や新井と同じことをやってる子が、まだ何人かいるはずだ。事件が長びけばその子たちだって、危くなる。今度のことはおれと親父に任せて、事件の片がつくまで君は家で、じっとしている。泣いても喚いてもいいから、約束してくれ」

麻子さんがはっきりと分るほど、いくつも大きく呼吸をし、それから椅子の背もたれに、小さく肩を丸めた。

「面白くないわ、ちっとも」と、ぼくの指を自分の掌の中でいじくりながら、ふてくされた声で、麻子さんが言った。「けっきょくいつも、最後は戸川くんの言いなりで。くやしいったらないわよ」

「今朝、思いきりぶって、気が済んだろうに」

「あんなこと覚えてたの」

「まだ耳が鳴ってる」

「本当に?」

「本当」

「人をぶったのなんて、初めてだったのよ」

「初めてであれだけぶてれば、大したもんだ。この次はよけてみせる」

麻子さんがふんと鼻で笑い、グラスからつき出ているストローに、目を見開いてかみついた。窓の外を通った背広の男が足をとめて、なんのつもりでか、麻子さんをふり返った。麻子さんが歯をむき出すと、男はあわてて顔をそむけ、足早に東府中のほうへ歩いていった。麻子さんは歯並びのよさでも、自慢しただけなのだろう。

サンドイッチを片づけ、店を出て、ぼくらはまたバイクを押して甲州街道へ歩きはじめた。空気自体に光の匂いがしみついているような、座りこんでしまいたいほどの暑さだった。事件が片づいたら、とにかく、海へ出かけよう。

旧甲州街道との交叉点《こうさてん》までバイクを押していき、そのころにはもう、麻子さんは額と鼻の頭にたっぷりと汗をにじませていた。

脚《あし》をまっすぐのばしてバイクに跨がり、エンジンをかけてから、麻子さんが言った。

「うろうろなんかしないわよ。犬じゃあるまいしね。だから夜はかならず、電話をすること。分った?」

「分った」

「毎晩よ」

「毎晩な」

「それからね。わたし、捕鯨には反対よ。鯨のベーコンステーキは好きだけど」

エンジンを吹かし、フラッシャーをたいて、麻子さんがクルマの切れめに白いバイクを割りこませていった。ぼくは頭のうしろでなびく麻子さんのポニーテールを、ちょっとだけ見送り、自分もバイクにエンジンをかけて旧甲州街道を麻子さんとは反対の方向に走りはじめた。埃と排気ガスと路面の反射が、いやな予感をいっそう煽《あお》りたててくるようだった。

前庭の広い威圧的な建て物の中は、その混雑の割りに人声は少なかった。ロビーには椅子に座りきれないほどの人が溢れ、戸籍関係の窓口では行列までつくられていた。ぼくは入り口を入ったすぐのところにある案内板で建設課の場所をたしかめ、正面の階段で三階まであがっていった。

通ってきた二階のフロアもそうだったが、建設課の入っている三階もフロア自体に仕切りはなく、イメージだけなら利用者に開放された構造になっていた。オフィスを長いカウンターがぐるっととり囲み、中で働く人たちをどこからでも見渡せるレイアウトになっている。ぼくはカウンターに沿って建設課の標示まですすみ、一番近い席に座っている青っぽい制服を着た、意地の悪そうなおばさんに声をかけた。

「栗林さんという方に、会いたいんです」

おばさんが席から腰をあげず、腹立たしそうな顔で、その場所から訊いてきた。

「ご用件は？」

「文化会館のことで」

「お名前は？」

「山田《やまだ》です」

どう見ても二十歳《はたち》すぎには見えなかったろうが、それでも顔に面会を断る理由までは書いてなかったらしく、おばさんは歯ぎしりをするように腰をあげて、遠い窓際の席へ歩いていった。そこには灰色のデスクが一列に並び、座っている人たちはみな下を向いて、見たところでは仕事でもしているようだった。

おばさんが一つのデスクの前で足をとめ、一言か二言話をして、その席に座っていた男の人と一緒にぼくのところまで戻ってきた。やってきた男は四十ぐらいで、髪が少しうすく、痩せた顔に銀縁の眼鏡をかけていた。ベージュ色の上っぱりの胸には、『栗林』と書かれたプラスチックの名札がとめてあった。

「栗林ですが、文化会館のどんなご用件でしょう」と、不審そうにぼくの顔を値ぶみしながら、栗林が訊いた。

そのままではおばさんに声が聞こえそうだったので、ぼくはからだを横にずらし、カウンターの上に半分ぐらい身をのり出した。

「文化会館の入札に関して、あなたが三枝建設にはかった便宜《べんぎ》についての話です」

ぼくのほうに身をかがめていた栗林の腰が、ゆっくりとのびていき、まるで牛乳ビンでも飲みこんだように、十秒ぐらい、銀縁の眼鏡がじっとぼくの顔を見つめてきた。この瞬間誰かにうしろから頭を殴られても、栗林は気づかなかったろう。

そのうちぼくが言った言葉の意味が理解できたらしく、手で小さく待つように合図をして、栗林がデスクの列に緊張した足どりで戻っていった。そしてそこで自分のとなりの机の男に声をかけ、フロアの端をまわって、カウンターの切れめからぼくにうなずいてきた。ぼくは三十メートルぐらいのその距離を、わざとゆっくり栗林のほうへ歩いていった。

ぼくが近づくのを無表情に待ってから、栗林が先に階段をあがりはじめ、ぼくもそのあとをついていった。

四階に広いフロアはなく、廊下にそっていくつものドアが並んで、そのそれぞれからは役職名の入った札が横に大きくつき出していた。栗林が第三応接室と札の出ているドアの前で立ちどまり、柱のカードを『使用中』にかけかえて、ぼくをその部屋に招じ入れた。中は四畳半ぐらいの、装飾のいっさいない真四角な部屋だった。安っぽいテーブルをはさんで小さいソファが二つ置いてあったが、それはその上で居眠りをする気すら起こさせないものだった。

あとからソファに座ったぼくに、事務的な口調で、栗林が言った。

「なんのことか分らないんだが、話を聞くだけは、聞こうじゃないか」

「ずいぶん暇なんですね」と、目だけで部屋の中を見まわしながら、ぼくが言った。「役所が暇なところだとは、聞いていましたけど」

「どういう意味かね」

「わけの分らないことを言いに来た人間に、いちいち相手ができるほど、暇なんでしょう」

「要点を言いたまえ」

「さっき言いました。一般的にはなんて言うんですか。収賄《しゅうわい》、汚職？」

「くだらんことを……どこでそんな話を、聞きこんできたんだ」

「口をすべらす人間はいます。このことだって、最初に口をすべらせたのはあなたです」

「はっきり言って、なにを知ってると？」

「あなたが文化会館の入札に関して、三枝建設に便宜をはかり、金を受けとった事実です」

「証拠は？」

「ありません」

栗林がにやりと笑い、尖った指先で眼鏡のフレームを上に押しあげた。

「まだずいぶん若いようだが、そういうのを名誉毀損《きそん》というんだぞ。それとも恐喝か？」

「収賄自体の証拠は、ありません」

「だったら、くだらん言いがかりはつけないでもらおうか。これ以上妙なことを言うと、警察を呼ぶぞ」

「いえ。わざわざ警察を呼ぶ必要は、ありません」

栗林の顔を見ながら、ゆっくりとぼくは腰をあげた。

「警察へ行こうか、ここに来ようか、迷いました。でもあなたの意見を尊重して、警察へ行くことにします。証拠はなくても証人はいますから」

ドアのノブに手をかけたぼくを、うしろから栗林が呼びとめた。

「待て。その、とにかく、もう一度座りたまえ」

「あまり座り心地のいいソファじゃないけど」

「それは、まあ」

「冷房が効いているのだけは、助かります」

ぼくは元のソファに座り、栗林のほうから口を開くのを、黙って待っていた。栗林が上着のポケットから煙草をとり出して、テーブルの上を睨んだまま、煙草に火をつけた。

「その話はいったい、誰に聞いたんだ」と、半分あきらめがまじったような声で、栗林が訊いた。

「言えません」

「しかし君がその名前を言わないかぎり、君の言ってることが本当かどうか、判断のしようがない」

「ぼくが知っていること自体、この話が本当だという証拠です。ぼくはその人の名前は出さないと約束しました。ぼくがその名前を喋るような人間なら、あなたのこともどこかで喋るでしょう。ぼくはまだ、誰にもあなたのことを、話していません」

「いくらだ」

「なにがです」

「いくら欲しいんだ」

「金のことなんか、言っていません」

「まさか市役所を見学に来たわけじゃあるまい」

「いくらなら出しますか」

「そんなには出せん。だいいち……」

「金はいりません。そのかわり、女の子を紹介してください」

栗林の煙草をはさんだ指が灰皿の上でせわしなく動き、瘦せた頰にぴくっと、緊張が走った。

「ばかなことを……わたしが、なんで?」

「あなたが三枝建設の社長から世話をされた、深大寺学園の女子生徒のことです。一人紹介してくれれば、それでいいんです」

「知らん。そんなことは、知らん」

「金を払うと言ったでしょう。そこまで認めれば、同じことです」

「しかし……」

「一度だけでいいです」

「一度、といっても……」

「それで今度のことが清算できれば、金を払うよりは、安いと思います」

禿《は》げかかった栗林の額にうっすらと汗がにじんで、それが窓からの日射しに、てらっと光った。栗林は腕を組んだまま、一分ほど黙りこんだ。

「もし、君の要求を、きくとして……」と、組んでいた腕をといて、また煙草に火をつけながら、栗林が言った。「君のことが信用できるという保証は、どこにある？」

「保証はありません。もともとこんなことに、保証なんかないでしょう」

「わたしの名前が出ては、困る」

「そのためにはどうしたらいいかを、今、相談しています」

「三枝には、どう言ったらいい？」

「あなたが我慢できなくなったとか、仕事で必要になったとか、そんなことはあなたに任せます」

「しかし君は、見たところまだ、高校生ぐらいの歳じゃないか。なにもこんなことをしなくても……」

「深大寺学園の女子は別です。あそこの子とはかんたんに、友達にはなれません。チャンスがあったから、乗ってみただけです」

「本当に、一度で、いいんだな」

「約束します。あなたが信じるかどうかは、別にして」

「他の人間に喋ってもらっても、困る」

「誰かに喋るつもりなら、ここへは来ません。それに一度あなたから紹介してもらえば、ぼくも同罪です。喋りたくても喋れなくなるでしょう」

いくらも吸っていない煙草を灰皿でつぶし、栗林が手の甲で、そっと額の汗を拭《ぬぐ》った。

観念しきった声で、ぼそっと、栗林が言った。

「なんとかする」

「なんとかするしか、ないでしょうね」

「どこへ連絡すればいい？」

「連絡はこちらからします。今日じゅうに、都合が？」

「それは無理だ。三枝と連絡が、つくかどうか。それに女の子だって、まったくの素人なんだから」

「それでは、明日」

「明日なら、なんとか……」

「十二時に」

「十二時？」

「早いほうがいいです。ぼくは気が変わりやすいから。こんな面倒なことはやめて、やっぱり警察へ行こうかと、思うかも知れません。明日の九時に電話をします。名刺をいただけますか」

栗林が胸のポケットから革の名刺入れをとり出し、一枚を渋々、ぼくに渡してよこした。

「直通のほうへたのむ」

「分ってます」

名刺をジーンズの尻ポケットへ入れながら、ゆっくりと、ぼくは腰をあげた。

「あなたが世話をされた女の子は、どんな子でしたか」

「どうして」

「ただの興味です」

「自分で会えば分るさ」

「それもそうですね。名前は?」

「知るもんか。いちいち名前なんか、言わん」

「あなたも一度や二度ではなかったでしょうね」

栗林が窓のほうを向いて、眼鏡をきらっと光らせた。

「出口は分ってます」と、ドアを開けながら、ぼくが言った。「あなたは一休みしてから、仕事に戻ってください。もし仕事が、あればですけど」

ぼくはうしろ手に部屋のドアを閉め、階段を一階までおりて、少し目眩《めまい》を感じながら市役所を出た。日はすっかりかたむいていたが、涼しくなるまでにはまだまだ、長い時間がかかりそうだった。


親父が帰ってきたのは八時前だったが、残念ながら今日はナイターをやっていなかった。それでも親父はテレビに苦情も言わず、ダイニングの椅子に座りこんで、台所のぼくに機嫌よく声をかけてきた。

「今夜はなにが食えるんだ」

「メカジキを煮てみた。他になにか、食べたいの」

「あま海老《えび》の刺身なんかも、いいなあ」

「買ってあるよ」

「ワカメの三杯酢があれば、なおいい」

「風呂に入ってる間に、つくっておく」

うんと返事をしたが、それでも親父は、椅子から腰をあげなかった。

「なにかあったの」

「ちょっとな」

「服の評判は？」

「上々だった」

少し間をおいてから、親父が言った。

「シュン、犯人を逮捕したぞ」

あま海老の入ったパックをまな板の上に置いて、思わず、ぼくはふり返った。

「逮捕？」

「そうだ」

「誰を？」

「犯人さ」

「だから、誰？」

「風見光一《こういち》」

「風見……」

「おまえの学校の、体育教師だ」

にんまりと笑って、親父が脱いだ上着のポケットから、煙草の箱をとり出した。

「おまえがやつの名前を言ったときから、秘《ひそ》かに身辺調査をやっていたんだ。思ってた以上にぴったり嵌《はま》った。一時に緊急逮捕だった」

親父が煙草に火をつけ、ぼくも夕飯の仕度のつづきに戻った。

「逮捕の、決め手は」と、ぼくが訊いた。

「ウインカーの破片だ。やつのクルマのものと一致した。ボンネットにもへこみがあった」

「間違いないんだろうね」

「そんな初歩的なことで、間違いはせんさ」

「風見先生は、その、自白したわけ?」

「岩沢訓子と関係があったことを認めた。本格的な取り調べは明日からだ」

「認めたのは岩沢のことだけ?」

「今のところはな。そう一度にぜんぶは吐かんさ。調べてみたらやつは前にも一度、女子生徒と問題を起こしている。校長の縁つづきとかで、そのときはおもて沙汰《ざた》にならずに済んだが、二度目となればそうはいかん。岩沢訓子を殺す動機は、じゅうぶんだ。それに遺書もうまくできていたが、やっぱり偽筆だった。教師だったら生徒の字を真似るぐらい、どうにでもなっただろうからな」

「新井のほうは?」

「口ふうじさ。二件とも風見に事件当夜のアリバイはない。岩沢訓子のときは家で寝ていたというし、新井恵子のときは、電話で新宿の東口に呼び出されたとか言ってる。どうせ嘘に決まってるさ」

「このことを、村岡先生には？」

「新井恵子の通夜でな。帰りに顔を出してきた……さて、風呂でも入ってくるか」

「父さん」

立ちあがったところで、親父が台所のほうへ向きなおった。

「本当に、風見先生が犯人だと、思う？」

「どうして」

「理由はないけどさ」

「証拠も動機もあって、逆にアリバイがない。送検すれば検察は間違いなく起訴するし、起訴されれば間違いなく有罪になる。他になにが必要だ」

「あの先生にそんな度胸は、ない気がするけど」

「見かけで犯人が分れば、警察はいらん」

またにんまりと笑って、親父が風呂場へ歩きはじめた。

「父さん」

「なんだよ」

「明日は一日、署にいる？」

「風見の取り調べがあるからな」

「電話をするかも知れない」

「どうして」

「息子が父親に電話したって、おかしくはないだろう」

「おかしくはないが……」

一歩、親父がダイニングの中へ戻ってきた。

「まだなにか、たくらんでるのか」

「べつに……」

「今度の事件は、片づいたんだぞ」

「本当に片づいたのなら、文句はないよ」

「どういう意味だ」

「ウインカーの破片、指紋は、調べてみた？」

「指紋？　どうしてそんなところに、指紋なんかがつく。人を轢いたとき割れたクルマのウインカーに、指紋なんか、つくわけないだろう」

「ついてたら、おかしいね」

「ついてたら、そりゃあな」

「世の中にはおかしいことだって、たまにはあるよ。おかしくて、いやなことがさ」

返事をしかけて、しかし言葉は出さず、怪訝《けげん》そうにぼくの顔を眺めてから、ため息をついて親父が風呂場へ消えていった。まだ八時だというのに、ナイターもなくて、今日は長い夜になる。

6

前の晩はほとんど眠っていなかったが、それでもぼくは早めに起きだし、親父のために飯をたいて日本旅館風の朝食を用意した。天気は相変わらずで、テレビでは水不足がニュースになりはじめていた。

親父を送りだすと、すぐ九時になり、ぼくは自分の部屋に戻って栗林のところへ電話を入れた。受話器は栗林が直接自分でとりあげた。

「連絡はとれた。十二時でいい」と、無理につくったと分る抑揚のない声で、栗林が言った。

「場所は？」

「東京天文台の近くに『古城』というモーテルがある。近くへ行けば看板が出ている。十二時に中村《なかむら》という名前でチェックインしてくれ。相手は少し遅れて着く」

「これで同罪ですね」

「そうだ。君の顔はもう、二度と見たくない」

「それは、お互い様です」

電話を切り、ぼくはベッドにひっくりかえって、軽く目を閉じた。その気になれば一眠りできそうな感じだったが、眠れないことは分っていた。

ぼくはアストラッド・ジルベルトをオーディオにセットして、机の引出し整理にとりかかった。中は使いかけのノートや小学校や中学校の卒業記念アルバムや、読みかけてやめた探偵小説の文庫本ばかりだった。それらをグラビア写真とひとまとめにして紐《ひも》でしばり、手紙の束も紙袋に放りこんで、ベッドのシーツや枕カバーと一緒に下へ持っていった。それからまた部屋へ戻り、ちょっと迷ってから、壁に一枚だけ貼ってある『タクシードライバー』のポスターを剝《は》がしてくず籠《かご》に捨て、あとは時間までぼんやりとレコードを聞いていた。もし万に一つこれが罠《わな》だったら、ぼくが二度と自分の部屋へ戻らない可能性も、なくはない。

十一時になってから下におり、ダイニングでコーヒーを一杯だけ飲んで、ぼくはツーリング用のバイクで家を出た。もっと風通しのいいヘルメットというのを、誰か発明してくれても、よさそうなものなのに。

調布飛行場の東の道をまっすぐ北にのぼると、武蔵境《むさしさかい》の駅に行きつく。天文台のある場所は武蔵境と調布の中間ぐらいになる。この道はバス路線にもなっているが、クルマの交通量は少なく、道の両側の丘陵には住宅にまじってまだ林も残っている。

指定されたモーテルのあった場所は、調布側から天文台を少しすぎたところの脇道を左に曲がって、五百メートルほどすすんだ道のつきあたりにあった。まわりをぐるっと化粧ブロックの塀がとり囲み、外から見ても中の広さは分らなかった。紫色の電気看板が出ている門にバイクを乗り入れると、道が建て物をとりまくように裏側へつづいていて、ぼくはその道にそって建て物をまわりこんだ。つきあたりが駐車場で、そこには五台のクルマがとまっていた。建て物自体は名前ほどけばけばしいものではなく、山小屋を真似てつくったレストランと自動車の整備工場かなにかを、足して二で割ったような感じだった。

ぼくは駐車場の端にバイクをとめ、入り口の自動ドアを通って、フロアの正面にあるカウンターへ歩いていった。そこには三十ぐらいの化粧をしていない女の人が一人いて、ぼくはその人に中村と名前を言い、部屋の鍵を受けとって、横の階段を二階へあがっていった。部屋を見つけて中に入るまでの間、廊下では誰ともすれちがわなかった。

部屋の中は思っていたよりも広く、それにカーテンやベッドカバーもピンクや紫ではなく、全体がベージュ色で統一された、意外に居心地のよさそうな部屋だった。栗林がこのモーテルを指定したということは、栗林自身ここを使っていたことの証拠で、裏づけ捜査が必要になったときには、なにかの役に立つ。栗林には恨まれるだろうが、ここまできて名前を隠しておくことなど、不可能に決まっている。

ぼくは万一の場合を考えて、窓から地面までの高さをたしかめ、それからベッドにひっくりかえって煙草に火をつけた。誰がやって来るにせよ深大寺学園の子なら、顔ぐらいは知っている。事件の事実関係を確認するにはこの方法が、最短の道だった。

十分ほどして、うっかり眠りこみそうになったとき、ドアに軽いノックの音がした。ぼくはベッドからはね起きてドアへ歩き、顔を見られないようにからだを内に向けて、ドアをゆっくりとひき開けた。一瞬の石鹸《せっけん》の匂いと一緒に、女の子の頭がぼくの鼻の下を通りすぎた。

ぼくがドアを閉め、相手がふり返り、そして同時にぼくらは口の中で、あっと叫び声をあげた。それから十秒ぐらい、お互いに目をのぞきあったまま、ぼくらはお互いの目の中に「なぜ?」という問いを発しつづけていた。

黄色いスポーツバッグが肩からすべり落ち、その拍子に我に返って、雨宮君枝がドアにとびついた。ぼくもその瞬間に状況を思い出し、雨宮君枝の肩をうしろから抱きとめた。雨宮君枝はパニックを起こした猫のように手足をばたつかせ、しかしぼくはその小柄な雨宮君枝のからだをひきずって、ベッドの上に放り出した。それでも雨宮君枝はあきらめず、ベッドからすぐにからだを起こして、またドアのほうへ走ろうとした。ぼくが立ち塞《ふさ》がると今度は拳《こぶし》をふりあげて、猛烈な勢いでぼくの顎を殴りつけてきた。ぼくはその両手首を押えつけ、ベッドに押したおして、あばれるからだに馬のりで跨《また》がった。雨宮君枝は足でぼくを退けようともがきつづけ、ぼくのほうはより一層強く雨宮君枝の手首をベッドの上に押しつけた。そうやって五分ぐらい、ぼくらは一言も声を出さずに、じっと力くらべをつづけていた。

やがて急に、もがいていた手足がとまり、雨宮君枝がぐったりとぼくの下で動かなくなった。その目から流れ出る涙をベージュ色のシーツが、吸い取り紙のように消していく。

ぼくはしばらくそのままの恰好で呼吸をととのえてから、ベッドをおり、化粧台の前まで歩いて、そこの椅子に腰をおろした。雨宮君枝の腕はぼくが押えつけたままのかたちで頭の上に投げ出され、むき出しの脚は片方がベッドから落ちて、白いショーツも半分まで脱げかけていた。

ぼくは冷蔵庫からジンジャーエールを出して一口飲み、バスルームへ行って、雨宮君枝のためにタオルを持ってきた。雨宮君枝はスカートだけはなおしていたが、まだ横になったままで、向こうを向いて涙を流しつづけていた。

「君を抱くつもりは、ないんだ。分ってるだろうけど」

唇をかんで、雨宮君枝が、小さくうなずいた。

ぼくは雨宮君枝の額にタオルをのせ、椅子に戻って、ジンジャーエールを飲んでから煙草に火をつけた。いろいろな思いが台風のようにやって来たが、ぼくは考えないことにした。

雨宮君枝がゆっくりとベッドにからだを起こし、しばらくタオルに顔をうずめてから、そのタオルで自分の額や首筋をていねいに拭きはじめた。ぼくが摑んでいた手首にはそれと分るほど、赤い痣《あざ》ができていた。

顔を拭きおわって、ぼくのほうに向きなおり、雨宮君枝が肩で大きく息をした。ぼくは歩いていってタオルを受けとり、それをバスルームに戻して、ついでに自分でも顔を洗った。

「そのバッグ、とってくれる？」と、バスルームから出ていったぼくに、雨宮君枝が言った。

ぼくはドアの前でバッグを拾い、雨宮君枝に渡して、自分もベッドの端に腰をおろした。雨宮君枝はバッグの中からピンク色のヘアブラシと小さい鏡をとり出し、鏡をのぞきながら、男の子のように短く刈った髪にブラシを入れはじめた。

「君の顔を見たとき、なにかの間違いかと思った」

「間違いなら、よかったのにね」と、鏡の中の自分に言いきかせるように、雨宮君枝が言った。

「いつかはこんな日がくる気はしてたけど、でも、まさかね」

「どこか、痛むか」

「だいじょうぶ……もう、みんな、分ってるの?」

「だいたいはな。警察はおとり捜査ができないから、おれがやってみた。余計なことだった」

「わたしも戸川くんの顔を見たとき、最初は意味が分らなかった。でも、すぐに気がついた」

「なぜ、こんなことを?」

「戸川くんには関係ない」

「金か」

「お金なんか……」

「それなら、なぜ」

「わたし、万引きをして、捕ったの」

　雨宮君枝がブラシと鏡をバッグに戻し、鼻水をすすって、唇に強く力を入れた。

「今年の春休み。わたしね、減量中は一週間ぐらい、ほとんど食べられないの。そんなときに、自分で自分のしてることが、分らなくなることがあるの。そのときも気がついたら、バッグの中に下着が入ってた。お店の人にわたしがとったと言われて、それでやっと、気がついたの……わたしにもジンジャーエールを、くれる?」

ぼくは冷蔵庫へいってジンジャーエールを出し、栓を抜いて、ビンごと雨宮君枝に手渡した。

「でも春休みだったから、連絡されたのは家と校長のところだけだった。そしたら、次の日、理事長に呼び出されたの」

ジンジャーエールを三分の一ほど飲んで、また雨宮君枝が鼻水をすすった。

「理事長は助けてくれると言った。万引きのことは誰にも分らないように、処理してくれるって……交換条件つきで」

「それが、これか」

黙って、雨宮君枝がうなずいた。

「万引きぐらいで、ここまでする必要は、なかったのに」

「わたしは国体に出ることが決まっていた。オリンピックの強化選手にも選ばれている。万引きで甲子園に出られなかった子たちのこと、知ってるでしょう。わたしも同じよ。一生体操ができなくなるの。だからどうしようもなかった。理事長の言うことをきくか、体操を捨てるか。体操は捨てられなかった……こうなったらもう、同じことだけどね」

「岩沢や新井も、やっぱりこれを?」

「そうだと思うわ。少し前までは、知らなかったけど」

「いつごろ分った」

「それは、この前調布で、戸川君と会った日」

「君は、まさか」

思わず、ぼくは雨宮君枝の顔をふり返った。

「君があの日ぼくを呼び出したのは、もしかしたら……」

「理事長に言われたの。戸川くんに風見先生と訓子のことを言えって。それで分ったわ、訓子のこと」

「岩沢がこれをやっていた、理由は？」

「分らない。高校へ入ってからは訓子と付きあいがなかったし、それにこんなこと、誰か他の子もやってるなんて、思ってもみなかった」

「新井が死んだことは、知ってるよな」

「麻子が電話してきたわ」

「おかしいと思わなかったか」

「思っても、どうしたらよかったの。わたしがそんなことを誰かに言えば……」

ジンジャーエールを持った雨宮君枝の手がけいれんのように、こまかくぶるぶると震えだした。ぼくはその手からビンをとりあげて、雨宮君枝の肩を自分のほうへひき寄せた。

「わたしだって怖かった。こんなことだって、したくなかった。いつもびくびくしてた。もし今度の相手が知ってる人だったら、どうしようって。いつも、いつも、いつも」

雨宮君枝が声をあげて泣きだし、ぼくの膝《ひざ》に顔をつっ伏した。ぼくは肉のついていない雨宮君枝の背中に掌をおき、雨宮君枝が泣きやむまで、ずっと背中をさすりつづけていた。

顔を伏せたままなん度も深呼吸をしてから、ゆっくりからだを起こして、雨宮君枝が言った。

「これで、終りね」

「そうだな」

「わたしも、終りね」

空虚な言葉と分っていても、言わないよりはましな言葉もある。

「君自身は、これからさ」

「本当に?」

「そう思う」

「体操ができなくても?」

「できなくても」

「オリンピックに出られなくても?」

「出られなくても」

「学校もやめなくては……麻子や、戸川くんにも会えなくなる。それでもわたしの人生は、これから?」

雨宮君枝が片方の頰《ほほ》だけで笑い、小さく首をふって、こわれかけた人形のように、よろっと立ちあがった。

「今日は泣きすぎたわ。もう泣かない。顔を洗ったら、あとは一生、死ぬまで泣かないわ」

雨宮君枝がバスルームへ歩いていき、ぼくのほうは雨宮君枝が飲み残したジンジャーエールを一口口に含んで、それをかみしめながら咽《のど》の奥へ送りこんだ。ちょっと針でつつかれればおさえている感情が爆発して、持っているビンを窓に叩きつけてしまいそうな、そんな感じだった。

バスルームから出てきた雨宮君枝に、黄色いスポーツバッグをかつぎあげながら、ぼくが言った。

「近いうち、たぶん、警察から連絡がある」

「分ってる」

「重いな、このバッグ」

「わたしのぜんぶが入ってるもの」

「君の……」

言いかけたが、ぼくの言葉はつづかなかった。雨宮君枝のすべて。それは体操着とその体操着に賭けてきた十七年間のすべてが入っているに、決まってる。

「戸川くん、この前の夜のこと、怒ってる?」

「いや」

「ちょっとだけ、もう一度、デートしてくれる?」

「ちょっとだけな」

「ハンバーガー、おごってくれる?」

「いいさ」

「わたしね、一度でいいから、ハンバーガーを、お腹いっぱい食べてみたい」

二人でその部屋を出て、駐車場まで戻り、ぼくは雨宮君枝をうしろに乗せてバイクを走らせた。風でスカートがめくれても雨宮君枝は、気にもしなかった。ぼくの腰にしっかり腕を巻きつけ、最後にマクドナルドの前でバイクをとめるときまで、雨宮君枝は身動き一つしなかった。まるでその間、呼吸すらしていないようだった。

ハンバーガーを食べている間も雨宮君枝は口を開かず、窓に面したカウンターに両肘《ひじ》をついて、通りを眺めながら黙々とハンバーガーを頬張っていた。見ているぼくのほうに涙が出そうで、ぼくは汗と一緒に幾度か、ハンカチで目の上をこすらなくてはならなかった。

マックシェイクを飲みおわり、大きく息を吐いて、雨宮君枝がにっこりと微笑《ほほえ》んだ。

「もっと食べられると思ってたのに、二コしか食べられなかった」

「帰るか」

「そうね」

「なにかあったら……」

「だいじょうぶ」

雨宮君枝のバッグをぼくがかつぎ、バイクは店の前に置いて、ぼくたちはスーパーマーケットの前を調布駅へ歩きはじめた。なにもかも光の色で、なにもかも埃っぽく、なにもかもぐったりしていた。夕方の買い物時間でもない北口の駅前は、立っている人もほとんどなく、改札口を出入りする人も少なかった。

ぼくがズボンのポケットに手を入れて百円玉を探し、券売機のほうへ歩きかけたとき、雨宮君枝がくるっとぼくの前にまわりこんだ。

「いいの」と、真剣な目でぼくの顔を見つめて、雨宮君枝が言った。「ハンバーガーはおごってもらったけど、キップは自分で買う。どの電車に乗って、どこへ行ってどこへ帰るかぐらい、わたしの責任だもの」

雨宮君枝が券売機のほうへふり向き、百円玉を放りこんで、九十円区間のボタンを押した。キップとつり銭の十円玉が出てきて、それをとってから雨宮君枝が、またぼくをふり返った。

「バッグ、ありがとう」

ぼくがバッグをその肩にかけてやり、二人で少しだけ、改札口のほうへ移動した。

雨宮君枝が急にぼくの手をとって、掌になにか固いものを押しこんだ。

「あげるわ」

それはたった今券売機から出てきた、つり銭の十円玉だった。

「ハンバーガーのお礼に、それ、あげる。でもその十円玉、わたしから貰ったこと、麻子にはぜったい秘密なんだから」

雨宮君枝は走るように改札口を通り抜け、階段をおりて行くときも、ぼくのほうはふり向かなかった。府中側から新宿行きの特急が迫ってきて、暑苦しくホームにすべり込んでいった。

ぼくは売店の赤電話まで歩き、掌の十円玉はシャツのポケットにしまって、別の十円玉で親父の仕事場へ電話を入れた。どこでもいいから一人になって、思いきり泣いてみたい気分だった。

7

「味噌汁《みそしる》は？」

「もういらん」

「いつも二杯飲むのに」

「今日はもういい」

「近いうち、夏休みはとれるんだろう」

「とれば、とれるさ」

「ジャイアンツ戦のチケットでも、買っておこうか」

「あんなもの……」

やはり朝からねっとりするような日は射していたが、それでも今日の光にはどこか翳《かげ》があって、庭の芝生にも露っぽい湿度が感じられた。

「でも、ジャイアンツも追いあげてるし」と、煎茶《せんちゃ》を入れた湯呑《ゆのみ》を親父のほうに差し出しながら、ぼくが言った。

「今が限度だ」と、寝不足の赤い目をこすりながら、親父が答えた。「ジャイアンツもくだらんな。戦力的には抜けてるはずなのに」

「原だってそのうち調子を出すさ」

「原が調子を出したって、王が監督をやってる間は、優勝なんかできん」

「父さん、王のファンだったろう?」

「俺は長嶋のファンだ。どうせ優勝できんのなら、長嶋に監督をやらせりゃいいんだ」

親父が帰ってきたのは今朝の三時ごろ。それから風呂に入り、ビールを一本飲んで八時まで自分の部屋に入っていたが、眠っていないことは、目の赤さにあらわれていた。

「野球がいやなら海でもいいよ。ハワイなんかどう?」

「あんな俗っぽいところ、行けるか」

「グアムとか」

「子供じゃあるまいし」

「温泉でもいいけど」

「気が向けばな」

「行ってみればなにか、面白いこともあるさ」

「俺みたいな年寄りに、金輪際、二度と、面白いことはない」

「あるさ。そのうちさ、どこかで」

「おまえのほうはどうした」

「なにが」

「酒井組の娘」

「まあまあだよ」

「無茶してないか」

「してない」

「来年あたり、結婚したらどうだ」

「父さん、疲れてるんだね」

「二度と会えん女はいる。若かろうが、年寄りだろうが」

親父はまた目をこすり、湯呑をテーブルに戻して、長い息を吐きながら大儀そうに腰をあげた。服は元のねずみ色の替ズボンと、なに色ともいえない綿の開襟シャツに戻っていた。

「父さん、だいじょうぶ?」

親父がうなずいただけで玄関へ歩いていき、しばらくしてあのフォルクスワーゲンの低い咳こむような音が、ぶーんと家の横を通りすぎていった。エンジンの音を聞いただけでも今日の湿度は、かなり高いようだった。

ぼくはクルマの音が聞こえなくなってから使った食器を片づけ、風呂場へ行って洗濯にとりかかった。親父やぼくの分のシーツや枕カバー、それにズボンやシャツやタオル類が山積みになっていて、洗濯機は三回もまわさなくてはならなかった。

洗濯のあと、家の掃除も考えたが、そこまでする気にはならなかった。かわりにぼくは庭に出て、門のまわりと、玄関まわりの草をむしることにした。草むしりなんか本気で始めれば、幾日かけても終らない。しかし今日はただの時間つぶしで、からだを動かしているほうがテレビを観たり音楽を聞いたりしているよりも、いくらかは気がまぎれる。

十二時きっかりで仕事をやめ、シャワーを浴び、着がえと戸じまりをして、家を出た。乗って出たのは昨日と同じ、ツーリング用のバイクだった。


真冬でも井の頭公園は日だまりなんかで、年寄りが将棋を差している。それ以外の季節は林の中で中学生がコーラスの練習をしていたり、カップルが池にボートを浮かべていたり繁華街から散歩の人が流れこんできたり、人波が絶えることはない。ぼくが子供のころは井の頭池で釣りもできたはずだが、どうせ今は禁止になっている。

ぼくは『パーク・ビュー』の前にバイクをとめ、エレベータで四階まであがって、五〇六号室のインターホンに指をかけた。名前を言うとすぐにドアが開き、チェーンが外れて、村岡先生がぼくを中へ入れてくれた。村岡先生はカーペットの色と同じぐらい濃い、緑色のバスローブ姿だった。

「生徒に見せていい恰好じゃないわね」と、目だけで微笑《ほほえ》みながら、村岡先生が言った。「お風呂から出たところなの。昨日新井さんのお葬式が終って、ほっとしたのかしら。今日はお午《ひる》まで寝てしまったわ」

ぼくをテーブルの前に座らせ、自分では台所へ立って、ちょっと村岡先生が唇を尖らせた。

「どうしたの？　目が赤いじゃないの」

「ただの寝不足です」

「そう。今ちょうど、コーヒーをいれたところ。飲むでしょう?」

ポットのコーヒーを二つのカップに分け、それをテーブルまで持ってきて、村岡先生がぼくの前に腰をおろした。

「戸川くん、担任の教師に、悩みごとの相談があるような顔ね。たぶんちがうでしょうけど」

「この前、親父のパジャマと靴下を買うのを忘れて……」

「でも新しいお洋服、似合ってらしたわよ。新井さんのお通夜に来て下さったの。聞いたでしょう?」

「はい」

「当然風見先生のことも、ね」

「はい」

「まさかとは思ったけど。でも犯人だったら、仕方はないわね。夏休みが終ったら学校が大騒ぎだわ。今度は校長先生のほうに、責任問題が出てくるでしょうね。戸川くんのお父様には感謝してるわ」

「警察が犯人を捕えるのは、当りまえです」

「でもこんなに早く事件が片づくなんて、思ってもみなかった。一時はどうなることかと……」

「当りまえのことを当りまえにやると、いやな結果が出ることも、あります」

「なんのこと?」

「事件のこと」

「コーヒーをお飲みなさい。からだの具合、悪いんじゃないの?」

「いえ」

カップをとりあげながら、ちらっと、ぼくは壁の時計を見た。

「ちょうど一時です」

村岡先生も眉をあげて、時計のほうをふり返った。

「もう少しバスローブでいたいの。まだ汗がひかないから。それとも、気になる?」

「一時なんです」

「分ってるけど……」

「三枝理事長の逮捕は、今日の一時です」

村岡先生のきれいな顔が形のかわるほど歪《ゆが》んで、「なぜ?」という目が、じっとぼくの顔を見つめてきた。

「三枝さんが、だって……」

「容疑は新井恵子の殺害と、未成年者に対する売春斡旋《あっせん》。とりあえず、そういうことらしいです」

「だって、風見先生がもう、捕ってるじゃないの」

「間違えたようです。もちろん間違えるように、し向けられたわけです」

「急に言われても、理解できないわ」

村岡先生がコーヒーを一口飲み、濡れた髪を大きくふって、挑むようにぼくの顔を見すえてきた。

「新井が轢《ひ》き逃げされた現場に、ウインカーの破片が落ちていたでしょう。その破片に三枝理事長の指紋がついていたそうです。指紋なんかつくはずのない場所に、理事長の指紋がついていた。それも風見先生のクルマの。誰だってそんなところに、指紋がつくとは思わない。警察で調べるとも思わなかった。だから理事長も、うっかりした。修理に出ていた理事長自身のクルマからは、ウインカーとヘッドライトをガムテープでとめたあとも、見つかったそうです。理事長は自分のクルマで新井を轢き殺し、現場には、あらかじめ用意しておいた、別の破片を捨ててきた。売春のほうは雨宮君枝が喋りました。岩沢も新井も、同じように、仕事の道具として売春をさせられていた」

村岡先生の視線が部屋のどこでもない空間に漂いだし、下唇が上唇から離れて、小さい咽仏が白い首の中を、ゆっくり上下した。

「あの三枝さんが、いくらなんでも、信じられない」

「ぼくにも信じられません」

「戸川くん、わたしを、からかってる?」

「人をからかうために徹夜するほど、ぼくも親父も、暇ではありません」

「三枝さんがもし、本当にそんなことをしていたのなら、わたしだって学校を、やめなくては。深大寺学園にお世話くださったのも、三枝さん。それにこれまでもずっと、わたしをかばってくださった。だから今度はみんなで、わたしを追い出しにかかる」

「先生が学校をやめるだけで済むなら、問題はありません」

「え？　それ、どういう意味？」

「理事長もいつかは、自白します。ぜんぶ」

「ぜんぶ？」

「誰だって一人で罪を、背負いたくはない」

村岡先生の眉があがって、皮肉っぽい視線が、またぼくの顔を見すえてきた。

「へんな言い方をするのね。わたしがそういう脅迫的な言い方を、生徒に教えたかしら？」

「親父はばかだから、先生が学生のころやっていたアルバイト先まで、訊きこみに行きました。『藍子《あいこ》』というクラブのママが、先生によろしく、と言ってたそうです。三枝理事長はお父さんの古い友人ではなく、その店の客でした。先生と理事長が知りあってから、先生はすぐ、店をやめた。アルバイトしなくても、よくなったんでしょう」

咽の途中でとめたような笑い方で、くっと、村岡先生が笑った。

「警察って、なんでも調べるのね。他人に知られたくないことでも、なんでも」

「ずっと理事長の世話になっていた先生が、なにも知らないと言っても、誰も信じないでしょう。ぼくも信じません」

「だけど、それがどうしたの？　たしかに世話にはなった。あなただって子供ではないから、分るでしょう。女が男に世話になるということは、ただお金をもらう、ということではないわ。

こちらからもあげたわよ。だけどそれがなに？　あなたがそんな目でわたしを見るほど、悪いこと？　ご覧なさい、この部屋。あなたの家の食堂より、狭いじゃない。こんな部屋で家賃が、いくらすると思う？　二十万円よ。分る？　わたしのお給料がいくらだか、知ってるの。手取りで二十三万円。笑っちゃうでしょう。これが現実よ。軽蔑したければ好きなだけ、軽蔑すればいい。あなたなんかに軽蔑されても、痛くも痒《かゆ》くもないわ」

「軽蔑したいけど、ぼくも親父もばかだし。ただ……」

コーヒーのカップを口にあて、しかし飲む気にならず、ぼくはまたそれを受け皿に戻した。

「ただ、岩沢や新井や雨宮に、先生があんなことまでする権利が、あったのか。もしあったというなら、それが聞いてみたい」

「関係ないと言ってるでしょう。三枝がなんと言おうと、殺人とか売春とか、わたしには無関係よ」

「常識で考えれば分ります。雨宮はたまたま万引きの件を利用してひき込めたとしても、あとの子たちを理事長が、どうやって集めたのか。彼女たちをよく観察していて、使えそうな子を理事長に提供した人間が、いるに決まってる」

「それが、わたしだと？」

「先生以外に、いますか」

「あなたのただのあて推量だわ」

「理事長は雨宮に、風見先生と岩沢の関係をぼくに伝えろと命令したそうです。理事長がなぜぼくのことなんか、知っていたのか。ぼくが岩沢の自殺を怪しんでいたことなんて、理事長が知ってるはずは、ありません。でも先生は知っていた。岩沢の件が自殺で片づきそうもないので、岩沢と関係のあった風見先生を、犯人に仕立てようとした」

「それもただの推量よ」

「理事長が喋ります」

「たとえ喋ったって……」

「ぼくは最初、新井はぼくが、岩沢のことを訊きにいったから殺された、と思った。もちろんそれもあったでしょう。でも本当はもっと前に、先生は新井を殺すことに決めていた。岩沢の葬式のとき、ぼくは新井にも連絡をしたか、と先生に訊いた。ぼくが新井に目をつけたことが、先生にはあの時点で分った。そして殺すこともあの時点で、決めていた。そうでなかったら、電話で風見先生を新宿に呼び出したり、その間にウインカーの破片を手に入れたり、そんな細工が、できるはずはなかった。だから逆に、ぼくと会ったときぜんぶ喋っていれば、新井は先生たちに殺されずに済んだ。あの日新井を、どこへ呼び出したんですか。このマンションですか。そうでしょう？　彼女はぼくがあまり自分たちのことに詳しいので、びっくりした。岩沢のことでも先生を疑っていた。先生は一応新井をなだめて、クルマで送っていった。誰かに見られないように、わざと人通りのない場所で新井をおろし、そこで例の破片を用意して待っていた理事長が、新井を轢き殺した。そうですよね」

「でたらめよ。つくりごとだわ。刑事とその息子が夏休みの暇つぶしに、わたしを罠《わな》に嵌めようとしている。いったいあなた、わたしになんの恨みがあるの。わたしがなにか、あなたに悪いことをした？　もしかしたらあなた、わたしと寝たいの？　そうなの？　それでそんなへんな話を、思いついたんでしょう。それなら最初から言えばよかったのよ。最初から言ってくれれば、寝てあげたわよ。あんなヤクザの娘とかかわってないで、素直に言えばよかったのに」

「それ以上言ったら、本当に先生を軽蔑します」

「勝手にすれば。たしかにわたしは、三枝の世話になっていた。あなたの言うとおり、女の子を選んで三枝の仕事もさせていた。好きなだけ軽蔑するといいわ。あなたみたいなお坊っちゃんに、なにが分るの。なにも分っていない。分る必要のない人間が、余計なことまで分る必要はないの。寝たいなら寝てあげるから、あなたがそれ以上余計なことを、考える必要はないの」

「まだ分りませんか。先生がなにを言っても、もう無駄なんです。理事長が自白すれば、すぐ警察がここへやって来ます」

「それがなに？　警察が来たからって、なんだというの。三枝からお金をもらっていた。三枝に女の子を見つけてやった。それだけだわ。岩沢訓子のことも新井恵子のことも、わたしはなにも知らない。わたしとはなんの関係もないことよ」

「それではなぜあの日、先生が岩沢の家に、いたんですか」

「あの日？」

「あの日です。岩沢訓子が死んだ、あの日」

村岡先生の口が半開きのままとまって、二重《ふたえ》で切れ長のきれいな目が、大きく見開かれた。

ただもちろん、その目にはぼくの顔は、映っていなかった。

「ぼくも昨日までは気づきませんでした。自分の教え子が死んで、担任の教師がその家にいるのは当りまえ、と思っていました。ふつうならそれは、当りまえのことです。でもあのときはちがっていた。遺体も検死からは、帰っていなかった。岩沢の死を知っていたのは、警察と岩沢の家族だけだった。岩沢の家族にたしかめてみました。誰も先生には、連絡していないんです。みんなは警察から連絡がいった、と思っていました。警察にも確認しました。警察もやはり、先生へは連絡をしていません。その先生がなぜあの日、あのとき、岩沢の家にいたのか」

「やめなさい。それ以上は……」

「先生は誰よりも早く、岩沢の死を知っていた。遺書も先生が書いた。住所録も先生が始末した」

「やめなさい。それ以上は、やめなさい」

「岩沢訓子は、先生が、殺した」

村岡先生がコーヒーカップを摑み、片膝《ひざ》を立てて、ぼくめがけて投げつけてきた。カップはぼくの顔の横を飛んでうしろの壁にぶつかり、それでも割れずにカーペットの上を、台所のほうへ少し転がった。村岡先生の重心がぐらっとゆれて、肘《ひじ》から先に、上半身がテーブルに倒れこんだ。バスローブの合わせめが割れ、反射的にぼくはそこから、目を外した。

「先生も自分の失敗には、気がついていた」と、顔にかかったコーヒーをハンカチで拭き、深呼吸をして、ぼくが言った。「あの日ぼくと酒井に会いさえしなければ、先生もそれほど心配せずに、済んだ。だけどぼくらに会って、いつ自分の失敗に気づかれるかと、不安になった。だから先生はぼくに近づいた。ぼくや親父に近づいて、捜査のすすみ具合を知ろうと。これが結果です。先生が知りたがっていた捜査は、こういうふうにすすみました」

村岡先生はテーブルについた肘の間に顔をうずめ、肩で息をしながら、黙ってぼくの話を聞いていた。バスローブの裾《すそ》はめくれたままだったが、ぼくはそのほうに、顔を向けなかった。

息を吸いこむたびに大きく動く村岡先生の背中を、しばらく、ぼくは黙って眺めていた。そのうち村岡先生がからだを起こし、意外なほど冷静な歩き方で、寝室から煙草と灰皿を持ってきた。そして今度はバスローブの裾をぴったりと合わせ、背筋をのばして元の場所に座りなおした。

「コーヒー、かかってしまった?」と、最初の煙を吐き出してから、困ったように眉をあげて、村岡先生が言った。

「少しだけ」

「ごめんなさいね。シャツにしみが残ってしまう」

「みんな羨《うらやま》しがります。誰にも見せられないのが、残念だけど」

煙草をくわえたままの村岡先生の口が、ちょっと微笑んだ。

「あなたがわたしのクラスに入ってきたとき、本当はいやな予感がしたわ。この子、危いなって。そのとおりになってしまった」

「なんで、こんなことを?」

「お金よ」

「それだけじゃないでしょう」

「本心では、生徒たちが、憎かったのかも知れない」

ぼくの反応をたしかめるように、村岡先生の切れ長の目が、ちらっとぼくの顔をうかがった。

「中学生のときに父親が、借金を残して死んで、高校は夜間部に通ったわ。どれぐらいみじめだったか、思い出す気にもならない。働いて、お金をためて、大学へ入って、それでもやっぱり夜は働いて、もう働くのがいやになったころ、三枝と知りあった。三枝のお金で大学を出て、三枝の力で今の学校に入れてもらった。それでも最初は、わたしもいい教師になりたいと思ったわ。張りきってもいたし、努力もした。でも毎日生徒たちと顔を合わせているうちに、我慢ができなくなったの。この子たちはどうしてこんなに、恵まれてるんだろうって。悩むことといったらせいぜい両親の仲が悪いことぐらい。そのくせ文句だけは一人前で、自分の成績が悪いのは教え方のせいだなんて……ふとね、一人でもいいから地獄を見せてやろう、とか、そんなふうに思ってしまった。女の子を集めるのはかんたんだった。もっと聞きたい？」

黙って、ぼくがうなずいた。

灰皿の中で楽しむように煙草をつぶして、村岡先生がつづけた。

「みんな風見が提供してくれたわ。もちろん本人は、知らなかったでしょうけど。わたし、あの男ともなん回か寝たのよ。頭では軽蔑していても、からだがその気になってしまう日があるの。そのたびにあの男、今度はなん組の誰をものにしたなんて、自慢げに喋るの。でもあれでそれほどばかではないから、口の軽い女の子は避けていたのね。それが逆に都合がよかった。もう分ったでしょう」

村岡先生の煙草を、黙ってもらい、黙ってぼくは火をつけた。外の音は聞こえないはずなのに、耳の近くで蟬が鳴いているような感じだった。

「でも岩沢訓子だけが本気で風見に惚れて、なにもかも風見にうちあけて、子供を産むと言い出したの。脅したり説得したりしたけど、効果はなかった。だから殺したのよ。新井恵子のほうはあなたの言ったとおり。これでぜんぶ。事件のこともわたしのことも、ぜんぶ喋ってしまった。聞いていて、どんな気分だった？」

二、三度首を横にふるのが、ぼくにできた、精いっぱいの努力だった。

「楽しかったでしょう？　一人の女を丸裸にして」

また、ぼくは首を横にふった。

「わたしのほうはあなたに口から手を入れられて、子宮と腸を無理やりひき出された気分だわ。楽しかったでしょう？　あなたはいつも冷静で、感情がなくて、今度のこともただ、映画を観るようなものだったでしょう」

火のついたままの煙草を、灰皿に放って、ぼくは腰をあげた。

「お待ちなさい。まだ言うことがあるのよ」

下からじっと、痛いような目で、村岡先生がぼくの顔を見あげてきた。

「わたしは二度と、もう誰にも、口の中に手なんか入れさせない。もう誰にも、わたしのからだにも心にも、指一本触れさせない。警察でもなんでもよ。警察でどんな取り調べを受けても、三枝がなにを言っても、やったのはあの男。わたしはお金でただ手伝っただけ。あなたが証人で出てきても同じこと。あなたになんかなにも話してない。裁判ぐらいどんなことがあっても、無実を主張して、切り抜けてみせる。いいこと？　そのことをよく、覚えておくのよ」

返事をしないで、そのまま玄関まで歩き、スニーカーの向きをなおして、ぼくは足を入れた。

「戸川くん……」

しばらく待ったが、村岡先生のほうからは、言葉を出さなかった。

首だけを、少し、ぼくは部屋へふり向けた。

「この前の夜は、楽しかったわ」と、向こうを向いたまま、ぷかりと煙草を吹かして、村岡先生が言った。「ふとばかなことを、考えてしまった。こんなふうに暮すのも、楽しいだろうなって。学校も、誰かを憎むことも自分を傷つけることも、みんなやめて、朝はあなたとお父様にお弁当をつくる。わたしは一日中お洗濯をしたり、お掃除をしたり、庭に水を撒いたり。夜になったらご馳走をたくさんつくって、三人で食事をして、そのあとはまた寝るまで、お父様から歴史のお話を聞く……ばかだと思うでしょう？　そんなこと、できるはず、なかったのにね」

スニーカーの紐を結んで、ドアのノブに手をかけながら、ぼくが言った。

「親父に会ったら、先生から言ってもらえますか。新しい服は似合うって。親父のやつ、また前の冴えない服を、着ていったから」

「警察はいつごろ来るの」

「理事長次第です」

「わたしがもう一度お風呂に入って、髪を乾かしてお化粧をして服を着がえるまで、あの男、頑張りきれるかしらね」

「さあ」

「仕度《したく》ができても警察が来なかったら、こちらからお父様に、お目にかかりに行くわ。そのとき服のことも、言ってあげる」

ぼくがうなずいたのを、たぶん村岡先生も、気配で感じてくれたろう。ぼくは黙ってドアを開け、コンクリートの廊下に出て、音をたてないように、ドアを閉めた。

外に出てみると、ほんのわずか、こまかい雨がふりはじめていた。ぼくはバイクに跨《また》がってエンジンをかけ、ヘルメットをかぶって、一つ深呼吸をした。

繁華街に向かってバイクを走らせはじめたとき、ふと洗濯物のことが思いだされた。だがぼくはそのまま公園ぞいの道を、繁華街に向かって走りつづけた。今日は家を出るときから、今まで二度も観そびれている『コットンクラブ』を観て帰ろう、と決めていたのだ。

解説

吉田大助

エバーグリーン、とはこのことだ。本作の初々しくもみずみずしい青春の日々や感性の描写は、単行本版が刊行された昭和末期から三五年もの月日を重ね、再文庫化された令和の今もまったく色褪せていない。

本作『ぼくと、ぼくらの夏』は一九八八年、第六回サントリーミステリー大賞読者賞を受賞した樋口有介のデビュー作だ。僅差で大賞は逃したが、選考委員の開高健、田中小実昌、田辺聖子、都筑道夫、イーデス・ハンソンの五氏から高い評価を受けた。特に熱く推したのは、開高健だ。ミステリとしてはやや弱い点があると指摘しながらも――〈ミステリーに不可欠の風俗描写が、とくにその〝かるみ〟が、しなやかで、的確であり、抜群の出来である。女房に逃げられた、冴えない中年男の刑事が一人息子といっしょに暮している、その日常生活がうまく描出され、好感を抱かせられる〉（「オール讀物」一九八八年五月号掲載の選評より）。他の選考委員からは、「軽み」のある語り口を支持する声があがった。〈かるいタッチで書かれていても、テーマをかるく扱っているのではない、ということを強調し、あえてこの作品の〝内容あるかるさ〟と語り口を高く評価したい〉（イーデス・ハンソン）。鮮烈なデビューだったと、当時を知る人は口をそろえる。

主人公＝語り手は、東京・調布にある古びた豪邸で父と二人暮らしをしている、高校二年生の戸川春一だ。夏休みのある日、同級生の岩沢訓子が橋から飛び降り自殺した、と刑事の父から知らされる。クラスの中で地味な存在だった少女に関する記憶は、春一の中にほとんどなかった。ところが、母親に呼び出されて足を運んだ新宿でクラスメイトの酒井麻子と偶然出会い、岩沢の死を伝えたところ、激しい反応を引き起こした。彼女は中学時代までは岩沢と仲が良かったが、自分が酒井組というヤクザの親分の娘であることから、岩沢は自分とは付き合わない方がいいと判断し距離を置くようになった。だからかつての親友のここ最近の動向は知らないが、自殺するような子には思えないのだという。

岩沢訓子は妊娠四ヶ月だったという新しい情報を父から得た春一は、麻子にその事実を告げる。相手は誰なのか？「探してみたいわね」「君がシャーロック・ホームズで、おれがワトソンだ」。探偵コンビを結成した二人は、時にバイクにまたがって移動しながら、灼熱の東京都下で捜査を始める。

本作は、いわゆる「犯人探し」のミステリだ。刑事の息子とヤクザの親分の娘、という『ロミオとジュリエット』風の設定を採用した恋物語でもある。と同時に、語り手の視点や五感を通して、「かっこよさ＝優しさ」という公式を表現した小説である。

だらしない父の尻を叩《たた》く日々が長かったからだろう、春一はとにかくクールだ。物事を深刻に捉えすぎず、受け流す術を身につけている。往年のハードボイルド小説から飛び出してきたようなシャレたセリフも使いこなすから、〈他の樋口作品の男性主人公と同じように〉モテる。もしも同じ設定で令和の作家が青春ミステリを書いたなら、もっと自意識の問題にフォーカスが当たるのではないだろうか？　本作の中にも、春一が探偵はどこまで真相を暴いていいものかと悩み、他者への無理解や決めつけについて内省する場面が何度か登場するが、それらの問題意識を心にしかと刻みつける素振りは描かれるものの、そこで過剰に掘り進めることはしない。そのぶんの労力を、他者への想像力に振り分けるのだ。失敗もあるし不器用にもほどがあると感じる部分も多々あるのだが、他者に対する彼の言動の根本にあるものは、優しさだ。それが、それこそが、かっこいい。

　令和に直木賞作家となった米澤穂信は、樋口有介の小説に魅せられた一人だ。その文体が「伝染」したと、自作への影響を公言している。〈樋口作品の語り手たちはひどく恰好つけているけれど、ただ気障《きざ》なのではない。彼らは照れているのだ。美しいものや大切なもの、そして何より愛《いと》しいものへの照れが、樋口有介ならではの文体を生み出している〉（文春文庫刊『夏の口紅』の巻末解説より）。たぶん樋口作品は、読めば誰しもに多かれ少なかれ「伝染」が起こる。それは、世界や他者に対して少し優しくなることと同義だ。

　本作をもって三八歳の時にデビューした樋口有介はその後、第二作『風少女』（一九九〇年）が直木賞の候補に。『彼女はたぶん魔法を使う』（一九九〇年）から始まるフリーライター「柚木草平シリーズ」や、志村けん主演でテレビドラマ化された「木野塚佐平シリーズ」など、さまざまな出版社で数多くの著作を発表した。そして二〇二一年一〇月、沖縄県那覇市の自宅で死去した。享年、七一歳だった。

国立国会図書館のデータベースによれば、樋口の最後のインタビュー（少なくともロングインタビュー）は、筆者がおこなったものだった。それは二〇一八年一二月一六日、日曜日に那覇市の自宅でおこなわれ、「週刊文春」二〇一九年二月二一日号に掲載された。

思い入れの深い取材となった。取材班が樋口から待ち合わせ場所に指定されたのは、空港から車で十数分ほどのところにあるバス停だった。同行の編集者によれば、路地が入り組んでいてわかりづらいため、樋口が道案内を買って出てくれたのだという。バス停に着くと、スポーティーな自転車にまたがった樋口が待ち構えており、そのまま取材班が乗るタクシーを先導し始めた。緑色のジャンパーにベレー帽をかぶり、颯爽とペダルを漕ぐ姿はエネルギッシュで六八歳とは思えないほど若い。

と、辿り着いた家の前には、真冬にもかかわらず赤紫のブーゲンビリアが咲き誇っていた。編集者がポートレイトの撮影を始める。後で、「恥ずかしがってなかなかカメラの方を向いてくださらなかった」と編集者から裏話を聞いた。招き入れられた家は、一言でいえば、居心地が良かった。目が届く範囲に全てが収まっており、今自分がここで暮らしていること、ここで小説を書くことの安心感が、取材時の言葉の端々から伝わってきた。

〈母が亡くなったのは東日本大震災の少し後、二〇一一年の春です。結婚もしていないし子供もいないので、六十歳で身内がいなくなりました。東京に戻るのもいいかなと思ったんだけど、秩父にいた頃から海外を貧乏旅行してきたんですよ。小説は、パソコンさえあればどこでだって書ける。生活費が安い東南アジアあたりで暮らすのもありかなと思っていた時に、ふと浮かんだのが沖縄でした。／一番の決め手は、冬が暖かいこと。秩父の山暮らし（引用者註・『ぼくと、ぼくらの夏』執筆時は秩父の山奥にある廃集落に住んでいた）のおかげで、冬の寒さはもうこりごりでした。家は平屋で屋上に給水タンクが乗っている、沖縄の典型的な住宅ですね。部屋が四つあって、四十平米くらいあるのかな。当初はボロボロでしたけど、床を直して壁をペンキで塗って、庭も手を入れたらなんとか恰好がつくようになりました。／家を買ったのは初めてです。不動産屋に現金で買うからと言って、三百万円値切りました。貯金は吐き出しましたけど、家賃がかからない暮らしって、こんなにラクなもんかと思いますね。欲しいものもないし、外では酒も飲まなくなって女性トラブルとも無縁になった。今までの人生で一番平穏な環境で、毎日小説を書いてます。／今六十八歳で、体もガタがくるだろうし、この先書けたとしても十年くらい。今まではだいたい一年で一冊半ペースですから、あと十五冊ですか。嬉しいですよね。「十五冊しか」じゃなくて、「十五冊も」書けるんですから（「週刊文春」二〇一九年二月二一日号「新・家の履歴書」より）〉

「そろそろ切り上げましょうか」という一声の後、樋口は冷蔵庫から缶ビールを取り出して取材陣に配り、自身も飲みながら台所に立ち手料理を振る舞ってくれた。ゴーヤチャンプルーの美味しさは忘れられない。樋口作品の主人公の男たちはよく料理や家事をするが、樋口自身にとっても当たり前のことなのだろう。当日中に東京へ戻る取材班のために、バス停がある大通りまで樋口が徒歩でついて来てくれることになった。「NGはないので、今日話したことはなんでも書いていいですよ」。主人公たちの「かっこよさ＝優しさ」もまた、樋口自身の内側から滲み出ているもののように感じられた。

雑誌に記事が掲載された後、樋口からメールが届いた。「過日は沖縄までわざわざ、ありがとうございました。いい加減なオヤジがぐずぐずいい加減なことを言っているのをまとめるのは、大変ですよね。申し訳ない。仕事でも休暇でも、こちらへ来ることがありましたら、ぜひご連絡を」。その後、沖縄には行くことがなく、樋口との再会は叶わなかった。不義理なライターに唯一できたことは、編集者に連絡を取り、「週刊文春の記事をネットで無料公開することはできないか」と掛け合うことだけだった。樋口有介と検索すれば、ウェブメディア「文春オンライン」に無料公開された、当該記事が上位に表示されるはずだ。ぜひご覧になっていただければと思う。

最後に一点、記しておきたい。本作『ぼくと、ぼくらの夏』では、昭和末期には問題視されなかった部分が、近年の小説には見られないニュアンスを表現している。例えば、主人公たちはいわゆる「不良」ではないが、高校生でありながらタバコも吸うしビールも飲む。それを目の当たりにする周囲の大人たちはというと、ルールを持ち出し声を荒げて注意することはない。やれやれという空気は醸《かも》しながらも、自分の行動は自分で責任を取れ、といったスタンスだ。その意味で、この時代の若者および大人たちは、今よりずっと大人だったのかもしれない。しかし字義通りの等身大ではなく、ほどよい距離があった方が、登場人物たちの中に自分自身のカケラを見つけた時の驚きや喜びの度合が跳ね上がるはずだ。ゆえにかつて若かった読者はもちろん、若い読者にも本書を手に取って欲しいと願う。

春一が、樋口作品の主人公たちが、そして樋口自身が体現していた「かっこよさ＝優しさ」は、どんなに時を経ても古びず輝き続けることだろう。

本書は一九八八年、文藝春秋より単行本刊行され、九一年文春文庫版が、二〇〇七年に新装版が刊行された。

検印
廃止

著者紹介　1950年群馬県生まれ。國學院大學文学部中退後、劇団員、業界紙記者などの職業を経て、1988年『ぼくと、ぼくらの夏』でサントリーミステリー大賞読者賞を受賞しデビュー。1990年『風少女』が第103回直木賞候補となる。著作は他に『彼女はたぶん魔法を使う』『ピース』など多数。2021年没。

ぼくと、ぼくらの夏

2023年10月23日　初版

著者　樋《ひ》口《ぐち》有《ゆう》介《すけ》

発行所　(株)　東京創元社
代表者　渋谷健太郎

162-0814/東京都新宿区新小川町1-5
電話　03・3268・8231-営業部
03・3268・8204-編集部
URL　http://www.tsogen.co.jp
晩印刷・本間製本

乱丁・落丁本は、ご面倒ですが小社までご送付ください。送料小社負担にてお取替えいたします。

ISBN978-4-488-45919-2　C0193

名探偵はひきこもり

EL HUEVO EN CIELO ◆ Tsukasa Sakaki

青空の卵

坂木 司

創元推理文庫

◆

坂木司デビュー作。ひきこもり探偵シリーズ第1弾。

外資系保険会社に勤める僕、坂木司には、いっぷう変わった友人がいる。コンピュータープログラマーの鳥井真一だ。様々な料理を作り、僕をもてなしてはくれるが、部屋からほとんど出ない。いわゆる“ひきこもり”だ。そんな鳥井を外に連れ出そうと、僕は身の回りで出会った謎や不思議な出来事を話すが……。

ひきこもり探偵・鳥井真一は、これらの謎を解明し、外の世界に羽ばたくことができるのか。

◆

収録作品＝夏の終わりの三重奏，秋の足音，
冬の贈りもの，春の子供，初夏のひよこ

第22回鮎川哲也賞受賞作

THE BLACK UMBRELLA MYSTERY◆Aosaki Yugo

体育館の殺人

青崎有吾

創元推理文庫

◆

旧体育館で、放送部部長が何者かに刺殺された。
激しい雨が降る中、現場は密室状態だった!?
死亡推定時刻に体育館にいた唯一の人物、
女子卓球部部長の犯行だと、警察は決めてかかるが……。
死体発見時にいあわせた卓球部員・柚乃は、
嫌疑をかけられた部長のために、
学内随一の天才・裏染天馬に真相の解明を頼んだ。
校内に住んでいるという噂の、
あのアニメオタクの駄目人間に。

「クイーンを彷彿とさせる論理展開＋学園ミステリ」

の魅力で贈る、長編本格ミステリ。

裏染天馬シリーズ、開幕!!